UnRead

—

探索家

U0282854

BODY:
A
GRAPHIC GUIDE
TO US

身体小宇宙漫游指南

[英] ——————————
史蒂夫·帕克、安德鲁·贝克 著
沐　馨————————译
Steve Parker & Andrew Baker

北京联合出版公司
Beijing United Publishing Co.,Ltd.

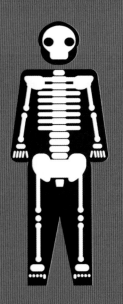

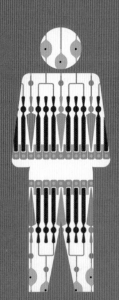

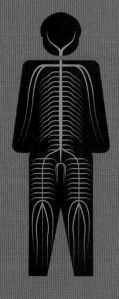

协调的身体
COORDINATED BODY

生长着的身体
GROWING BODY

会思考的身体
THINKING BODY

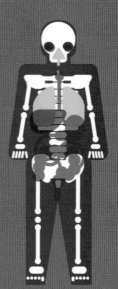

医学身体
MEDICAL BODY

术语汇编
GLOSSARY

没有哪个人是普通人。
每个人肯定有不普通之处。

身体是人类最普遍的财富。一个人要想让身体拥有最高的工作效率，不仅自己要爱护和珍惜它，还需要最亲密的家人和最亲爱的朋友也来爱护和珍惜。谁不想好好了解一下关于他们身体的一切，甚至更多别的东西呢？

信息图通过图表来传达信息和知识，其中的形状和颜色比字词还要多，我们能够直观地理解信息图并快速吸收其中的知识。与语言相比，它们优势更大，而且很容易就能被人们记住。事实上，每个人都能理解它们。它们甚至能让统计变得有趣，让数据变得好玩，让知识像胶水一样黏在你的脑海。

所以，把人体和信息图两大主题结合在一起，应该是很不错的主意。但是，怎么才能把它们组织在一起呢？许多人体书贯穿了十几个功能系统：骨骼、肌肉、心血管、消化、脑和神经，以及其他。但是，我们想让这本书能有些与众不同之处。

从文艺复兴时代和现代知识诞生的时代起，人们主要通过两种方法来研究身体。一种是解剖学：物理结构、组织和构造，始于安德烈·维萨里在 1543 年的巨著《人体结构》。与解剖学互为补充的是生理学：化学运作和功能，这一概念由让·费尔内尔在 1567 年的《生理学》中最先引入。这两个概念形成了现代人类生物学和医学的基础——以及本书的第一部分和第二部分。接着姗姗来迟的是第三部分，遗传学身体。这个概念到 20 世纪中叶才有，它的主要标志是科学界最伟大的一项发现——詹姆斯·沃森和弗朗西斯·克里克于 1953 年发现的 DNA 双螺旋结构。

人体通过自身的感官不断地学习和体验，第四部分会带你探索所有主要的
感官模式。人体的构成部分——细胞、组织和器官——也经过高度的协调
和整合，统一于一个整体之中，第五部分会对此做出阐述。俯瞰着整个
活生生的有机体的，是它的首席指挥 - 控制中心、局域网集线器兼认识、
知觉和意识的起点——脑，第六部分会对此展开描述。到现在为止，我们
所说的一切都是发生在成人身上的。每一个身体都有一段发展历程，身体
是从一个针尖大小的受精卵开始的，之后它的规模和复杂性会增加数十亿
倍，第七部分会介绍这个生命周期的情况。如果身体出现了问题，就需要
药物来给予帮助，第八部分会来讲这个。

没有一本关于身体的书能写得面面俱到，但是通过精心选择、引人入胜、
有趣、充满惊喜、独特、局部和整体相结合，尤其是通过这样的信息图，
至少可以弥补一些缺憾。本书也用到了流程图、图表、地图、步骤图、时
间表、符号、图形文字、图标、饼状图和柱形图。鉴于图中用到的基本知
识，我们得感谢那些对这么多原始数据、基本事实和光秃秃的信息进行测
量、整理和分析的人们。我们的任务是寻找、解释和转换这些知识，使读
者能发现他们感兴趣的东西，并消化吸收掉。希望各位受到鼓舞，能更多
地去领会、欣赏你们所拥有的这个最为宝贵的财富

物理学身体
PHYSICAL BODY

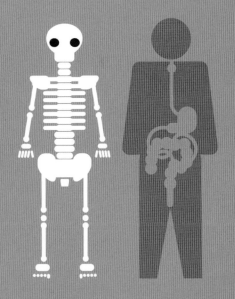

一英里高的身体

在典型的人体中，一般同时会有几十种器官在进行大规模复杂而不间断的相互作用。这些器官包含了数百种组织亚型，而这些亚型又由数十亿微观细胞组成。为了把这种异常复杂而范围极广的物理尺寸可视化，有种方法就是把人体放大——比如说，把身高设定为正好的 1 英里（约 1.6 千米）。这个高度是世界上最高的摩天大楼的两倍，而在摩天大楼里进进出出、上上下下的人们仅仅像蚂蚁一样大——但是请看下文！

最小的骨头
马镫形状的小骨（镫骨），位于耳朵内。

2.8 米

最长的骨头
大腿骨（股骨）

7 毫米

最小的细胞
红细胞（红血球）

皮肤厚度
皮肤一般有 2 米厚，这是门的平均高度

DNA
按照这种比例，一个体细胞的细胞核中所有的 DNA 首尾相连穿在一块儿，长度要超过 2 千米。

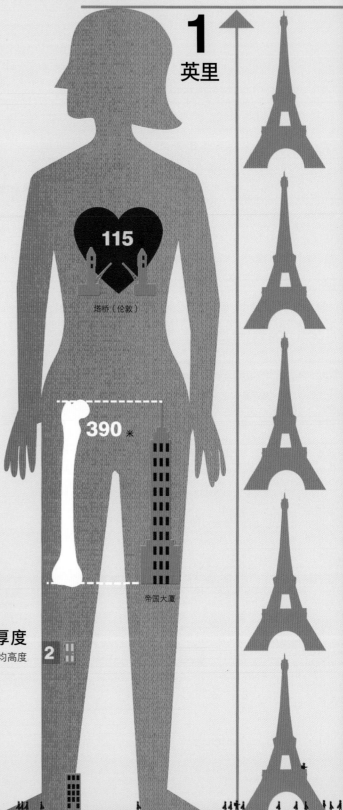

1 英里

115

塔桥（伦敦）

390 米

帝国大厦

2

埃菲尔铁塔（巴黎）

1 英里 ≈ 1.6 千米 = 1600 米

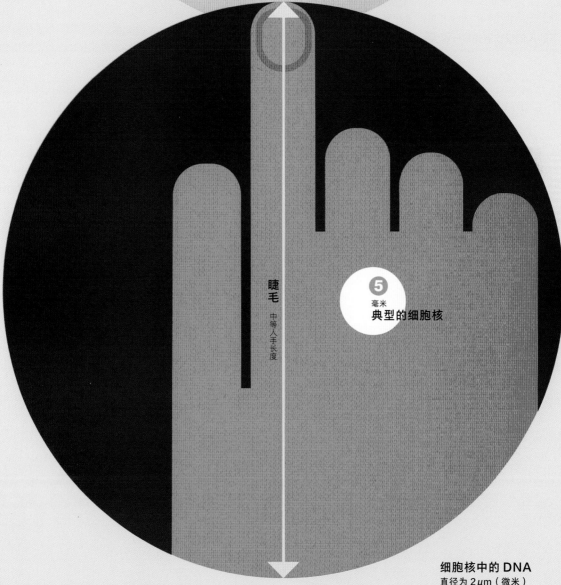

卵子（卵细胞）**11**厘米

白细胞（巨噬细胞）

2厘米

睫毛 中等人手长度

5毫米
典型的细胞核

细胞核中的 DNA
直径为 2 μm（微米）

宽度是人的一根头发的 1/30
厚度是这一页纸的 1/60

越走越高

身高可能是人体最容易进行可视化测量的部分。至少在过去的两个世纪中，全球的平均身高一直在增长，主要是营养更好了——特别是婴幼儿时期——以及疾病减少了。在发达国家或者说更富裕的国家中，这种趋势最为突出。目前，该趋势最明显的是荷兰，年轻成年男性的平均身高为 184 厘米，女性平均身高为 170 厘米——比 150 年前的荷兰人大约要高 19 厘米。然而，在北美洲，从 20 世纪中叶以来，人们的平均身高仅仅是略有增加。但是从全球范围来看，身高可能还会有几十年的增长期。如果贫困国家的营养状况和健康状况得到改善，这些国家的平均身高将相对较快地增长，而对于富裕的地区而言，平均身高的增长似乎会逐渐进入停滞期。

史前人类物种

60 万 ~ 25 万年前	20 万 ~ 5 万年前
海德堡人（欧洲、非洲）	尼安德特人（欧洲、亚洲）
175　157	166　154

3200 年前（古希腊）	10 世纪中叶（欧洲）	17 世纪中叶（欧洲）	18 世纪中叶（欧洲）	19 世纪中叶（欧洲、北美洲）	20 世纪中叶（西半球）
164　155	173　158	167　155	170　161	172　164	174　164

一些值得注意的平均身高

全球	巴塔侏儒人（非洲）	丁卡人（非洲）
173　160	153　148	183　170

地区平均身高

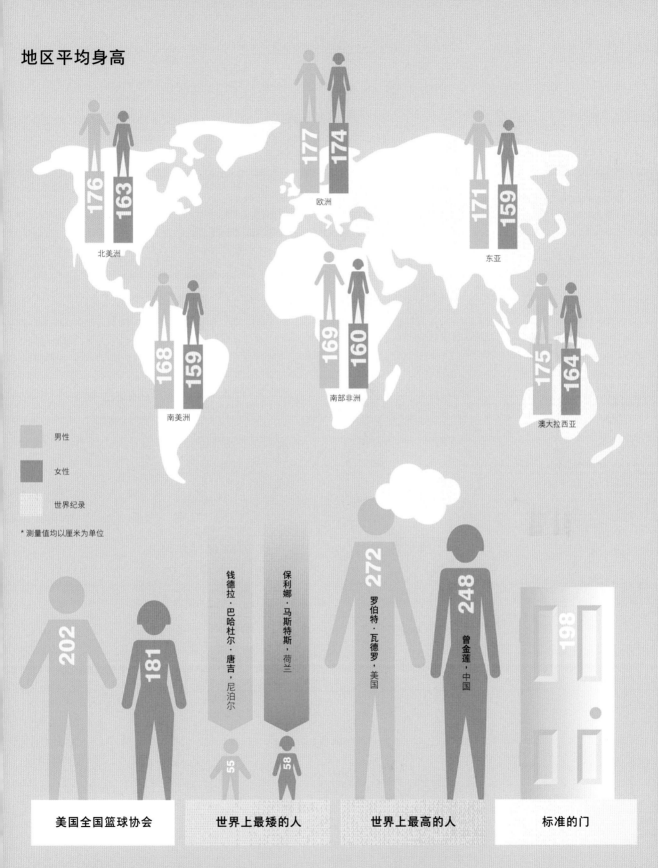

欧洲
177 174

北美洲
176 163

东亚
171 159

南美洲
168 159

南部非洲
169 160

澳大拉西亚
175 164

男性
女性
世界纪录

*测量值均以厘米为单位

美国全国篮球协会
202 181

世界上最矮的人
钱德拉·巴哈杜尔·唐吉，尼泊尔 55
保利娜·马斯特斯，荷兰 58

世界上最高的人
罗伯特·瓦德罗，美国 272
曾金莲，中国 248

标准的门
198

体型

人类全身的骨骼共有 206 块（除了异常生长或手术切除这些罕见的情况外）。但是，人与人之间骨骼的相对大小和形状并不相同，从而有了不同的基本体型：大块头、苗条、四肢修长、粗短、结实、瘦长、纤弱和许多其他的比喻性描述。

生长结束后，成人的骨骼形状就决定了身体的尺寸大小，比如整体高度和四肢的比例。但是骨骼外包绕的多层结构，也极大地塑造了身体的轮廓。这些结构包括：由里到外的几组肌肉，在肌肉外层的皮肤外套，以及备受争议的皮肤基底层，也就是皮下脂肪组织——脂肪。

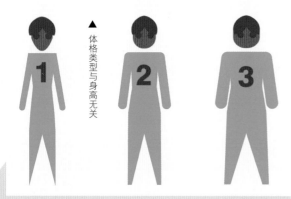

▲ 体格类型与身高无关

一般骨架类型

1 **外胚层体型者：** 苗条、骨质轻、"纤弱"，倾向于瘦弱
2 **中胚层体型者：** 平均水平
3 **内胚层体型者：** 宽大、骨骼粗大、"健壮"，倾向于肥胖

大多数人的体型是两种类型的混合体。

19 世纪 40 年代，美国的心理学家威廉·谢尔登尝试着把身体的形状、尺寸大小与人的性格特征、气质、智力和情绪状态等联系起来。外胚层体型者内向、焦虑、害羞、自制；内胚层体型者坦率、富有表现力、健谈、随和。这一理论后来被推翻了。

你好！

你好

635

世界上最重的男性（千克）
约翰·米诺奇（美国）

草莓形

香蕉形

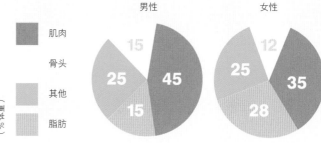

健康的身体比例
（% 体重）

男性　　　　　女性

肌肉
骨头
其他
脂肪

男性：15　25　45　15
女性：12　25　35　28

544

世界上最重的女性（千克）
卡罗尔·雅格（美国）

水果和坚果形状的身体

记住水果或坚果形状的身体也许比记住复杂的公式要容易。这些形状描述了额外体重的分布位置。一般说来，腹部有脂肪堆积的（苹果形状），比臀部和大腿周围有脂肪的（梨形），有更高的健康风险。

苹果形　　梨形　　花生形

BMI：身体质量指数

BMI 是把重量（体重）、身高和健康相关联的一种粗略计算。其目的是使男女都适用于这个公式，并能涵盖绝大部分的体形，无论是苗条还是肥胖。

小于 18.5　18.5－25　25－30　30+

$M \div H^2$ 即体重（千克）除以身高的平方（米^2）

WHtR：腰高比

WHtR 可能是计算这些体型的最简单的方法了，它是一项快速、便捷的指标，说明身体的脂肪分布位置。

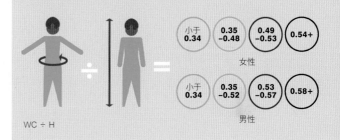

小于 0.34　0.35－0.48　0.49－0.53　0.54+
女性

小于 0.34　0.35－0.52　0.53－0.57　0.58+
男性

$WC \div H$

ABSI：身体形态指数

ABSI 是 BMI 的衍生，它包含了腰围（WC），考虑了体脂分布，被认为是一个更为准确的健康预测指标，但是它的计算过程有点麻烦。

$BMI^{2/3}$ = 0.0808

$WC \div (BMI^{2/3} \times H^2)$，或者 BMI 的 2/3 次方乘以身高的平方（米^2），再除腰围（米）。完整的计算还要考虑年龄和性别。

偏轻　　正常　　超重　　肥胖

13

比例匀称

自古以来，艺术家和雕塑家总在赞美人体比例的协调。当然，身体的形状和尺寸多种多样，但其中的绝大部分都具备相同的比例关系。著名的黄金比例是 1.618（也被称为黄金分割，phi，Φ），在自然界中广泛存在，在艺术中经常被用于创作美观、协调的长度和形状。人体中也有这个比例。

1 **1.618**

头身（"八头身"）

将下巴到头顶的部分算作总身高的八分之一，就会有这些典型的比例:

黄金比例身体

黄金比例。对于长为 a 和 b 的两条线
a：b＝（a+b）：a＝1.618

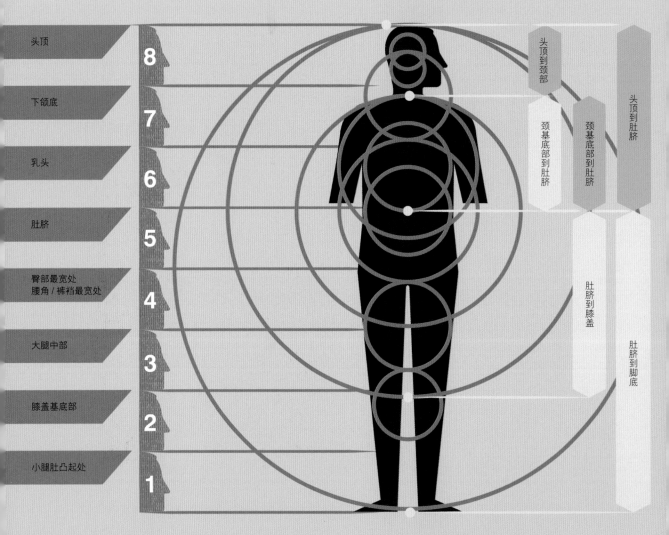

头顶	8	头顶到颈部
下颌底	7	
乳头	6	颈基底部到肚脐
肚脐	5	
臀部最宽处 腰角/裤裆最宽处	4	肚脐到膝盖
大腿中部	3	
膝盖基底部	2	肚脐到脚底
小腿肚凸起处	1	

头顶到颈部
颈基底部到肚脐
头顶到肚脐
肚脐到膝盖
肚脐到脚底

基于身体的测量单位

英尺（foot）：脚后跟到大脚趾趾尖
起源：中世纪法国

304.8

1829

英寻（fathom）：双臂伸展，两手手指间距
起源：中世纪英国

一掌宽（palm）：四个手指底部宽度
起源：古埃及

76.2

18

一指宽（digit）：手指的宽度
起源：古埃及

24.5

英寸（inch）：拇指的指关节到指尖
起源：中世纪英国

102

一手宽（hand）：拇指直角并拢时手的宽度
起源：古埃及

457

腕尺（cubit）：从肘部到中指指尖
起源：古埃及、古罗马

914.4

码（yard）：从腋窝到中指指尖
起源：中世纪英国

 等于现在的毫米

切碎了，掰烂了

就像确认某地的位置需要纬度、经度和海拔一样，精准定位身体的任何部位也需要基本的三维坐标，或矩阵：上下、左右、前后。在当今，有太多的扫描技术能为我们前所未有地显示出人体的五脏六腑，连手术刀都用不到。以下是我们在观察身体时需要知道的各种方向。

横断面
水平方向上分成上、下部分

解剖平面

矢状面
分成左、右部分

冠状面
分成前、后部分

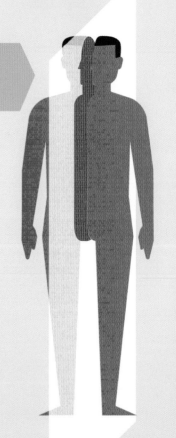

旋转轴

垂直轴
上下方向

矢状轴
前后方向

冠状轴
左右方向

观察角度

仰视
从下面看

俯视
从上方看

外侧
远离正中的一侧

内侧
靠近正中的一侧

前方
从前面看

后方
从后面看

远轴
由远端指向主体

近轴
由主体指向远端

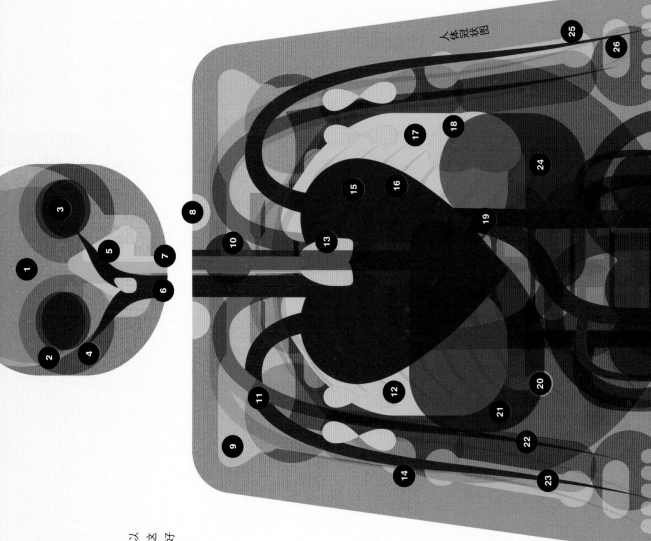

人体冠状图

透视人体

先进的成像技术意味着我们不用动刀子解剖就可以看到，甚至看穿身体，看清身体的每一个角落。这里有一些主要的器官和解剖标志，它们提供了很好的参考点，本书后文会对它们进行详细的说明。

1　额骨
2　轮匝肌
3　眼眶
4　颞肌
5　鼻腔
6　动脉
7　颈静脉
8　颈淋巴结
9　肩胛骨
10　甲状腺
11　腋动脉和腋静脉
12　胸淋巴结
13　胸腺
14　肱骨
15　心脏
16　肋骨
17　左肺
18　左肾
19　主动脉
20　胆囊
21　肝脏
22　桡静脉

手臂横断面

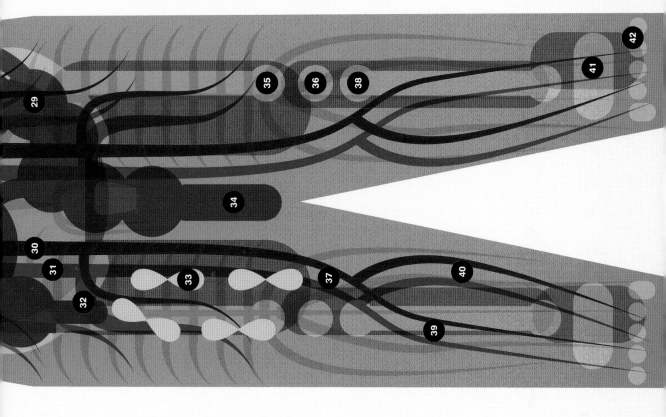

23 尺动脉
24 胃
25 桡骨和尺骨
26 腕骨
27 掌骨
28 小肠
29 结肠（大肠）
30 髂动脉
31 髂静脉
32 阑尾

33 腹股沟淋巴结
34 直肠
35 股骨
36 髌骨
37 股动脉和股静脉
38 胫骨和腓骨
39 胫前动脉和胫前静脉
40 胫后动脉和胫后静脉
41 跗骨
42 跖骨

1 肱三头肌
2 肱骨
3 肱二头肌

1 枕叶
2 脑皮质
3 脑室
4 胼胝体
5 额叶

头部矢状面

系统分析

一个人体系统就是一组器官、组织和细胞，它们有专门的一种（或者两种）主要功能，让人活着并能好好地工作。

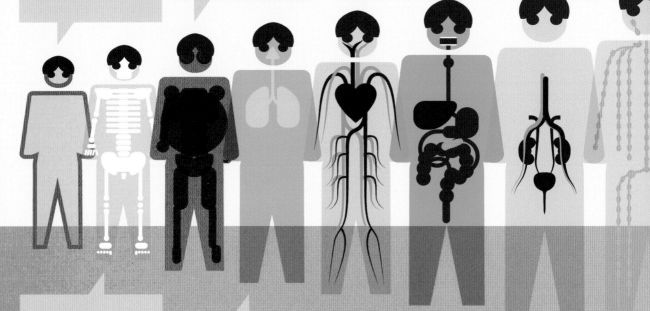

皮肤系统

- 皮肤 • 头发 • 指甲
- 汗腺和其他外分泌腺

用于保护、调控体温、排泄垃圾、感觉。

肌肉系统

640 多块骨骼肌，专门负责收缩。

用于躯体的运动、体内物质的运动、保护。

心血管系统

- 心脏 • 血液 • 血管

用于输送氧气和营养物质、收集二氧化碳和废物、调控体温。

泌尿系统

- 肾脏 • 输尿管 • 膀胱 • 尿道

用于滤出血液中的废物、控制体液的整体水平。

骨骼系统

206 块骨头（通常也包括关节）

用于支持、保护、运动、生成血细胞。

呼吸系统

- 鼻 • 喉 • 气管 • 呼吸道 • 肺

用于吸入氧气、排出二氧化碳、发出声音。

消化系统

- 口腔 • 牙齿 • 唾液腺 • 食道
- 胃 • 肠 • 肝脏 • 胰腺

用于进行物理性消化和化学性消化、吸收营养。

淋巴系统

- 淋巴结 • 淋巴管 • 白细胞

用于排出体液、输送营养物质、收集废物、机体的修复和防御。

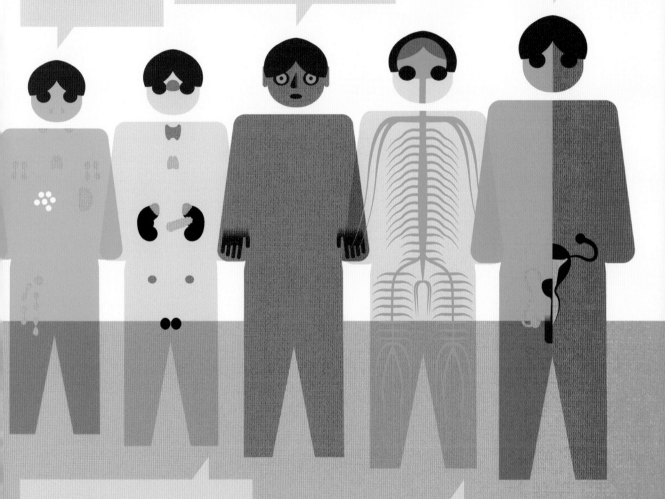

免疫系统

• 白细胞 • 脾脏 • 淋巴结 • 其他腺体

用于身体对细菌及其他入侵者、癌症和其他疾病的防御。

感觉系统

• 眼睛 • 耳朵 • 鼻子 • 舌头 • 皮肤 • 内在感觉器官

用于感知周围环境（看、听、闻）、躯体位置与运动，以及诸如肌张力、关节位置、体温这样的内部感觉信息，等等。

生殖系统

女性的性器官: 卵巢 • 输卵管 • 子宫 • 阴道 • 相关的导管和腺体
男性的性器官: 睾丸 • 阴茎 • 相关的导管和腺体

用于生育后代；这是区分女性和男性的唯一的系统，也是对于生存而言唯一一种非必需的系统。

内分泌系统

分泌激素的（内分泌）腺体，如垂体、甲状腺、胸腺、肾上腺

用于产生化学激素，沟通并协调生长、消化、体液水平、恐惧反应和许多其他过程。

神经系统

• 脑 • 脊髓 • 神经

用于收集和处理信息、思考、做决定、记忆、表达感情和控制肌肉与腺体的活动。

部分构成整体

划分人体的方法有很多种。按照工作角色或功能来分，有系统、器官、组织、细胞和它们的生化过程，或者说生理过程。从解剖或结构的角度来看，同样包含器官和组织，最大的是皮肤（及其脂肪层或皮下层）和肝脏。另一种基于解剖学的方法是按照区域划分——头部、包含了胸部和腹部的躯干、四肢及其各个节段。

	体重 %	在75千克身体中的质量（克）
肌肉	40	30000
皮肤（所有皮层）	15	11200
骨	14	10500
肝	2	1550
脑	2	1400
大肠	1.5	1100
小肠	1.2	900
右肺	0.6	450
左肺	0.5	400
心	0.5	350
脾	0.18	140
左肾	0.18	140
右肾	0.17	130
胰腺	0.13	100
膀胱	0.1	75
甲状腺	0.05	35
子宫（女性）	0.08	60
前列腺（男性）	0.03	20
睾丸（男性）	0.03	20

估算身体的尺寸

英国传统的丈量人体服饰尺寸的方法（英寸）。

帽子

最宽的部分（正好在眉毛以上）的圆周长除以3.15。

手套

在最宽的部位（掌指关节处）。

衣领

颈部最宽部位的周长再加上1/2英寸。

袖长

从颈背部正中到肩部，再从肩部到手腕骨处。

大脚丫的趋势

发达地区，如北美洲和欧洲，已显现出脚越来越大的趋势，女性特别明显（如图所示，即这些地区成年女性的脚的平均大小）。部分原因是个子长高——但不是全部原因。

英国 4　欧洲 37　美国 6½

英国 5　欧洲 38　美国 7½

英国 6.5　欧洲 39½　美国 8½

1960

1970

2010

试着比较一下！

鞋子

以爱德华二世国王（1284—1327）的 12 个尺码（12 英寸）的脚为基准，然后每个尺码按照一个巴利肯（1/3 英寸）增加或减少。

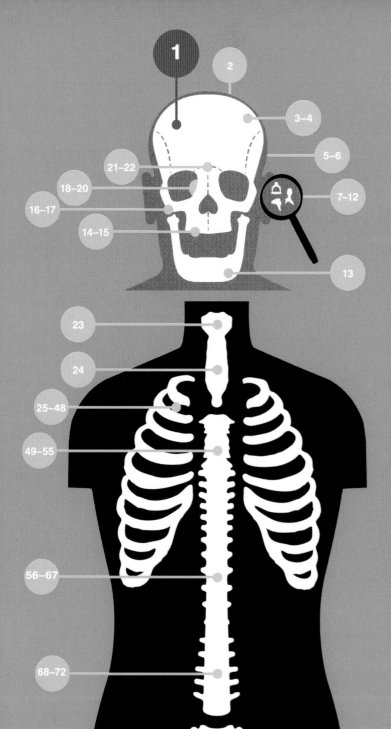

人体有

206

块骨头（通常情况下）

光秃秃的骨头

骨骼在子宫内的早期发育过程中，最初形成软骨的形状；渐渐地，这些形状变硬，或由造骨的原料填充，在婴儿时期实际的骨骼数量达到 300 块以上。然后，由于一些骨小块在走向成熟过程中进行连接或发生了融合，尤其是颅骨上的小块，从而使得骨骼总数变少了。

骨的遗传和发育也有变化。大约每 120 人中就有一人会多长两根肋骨，从而具有 13 对肋骨而不是12 对。大约每 25 个人中有一人的骨头会发生"腰椎化"，表现为正常的五块腰椎后，还有第六块腰椎；然而，这额外的一块腰椎是从下方的骶骨"借来"的移动的非融合椎体，所以脊柱融合的部位共有四处而非五处。还有就是，大约每 100 人中有一个人的手指和脚趾及其骨骼数目有变异。于是，我们偶尔可以看到，有些人的手腕上、脚踝上有额外的骨头……

80 块中轴骨

由四部分组成：
头颅、面部、脊柱和胸廓

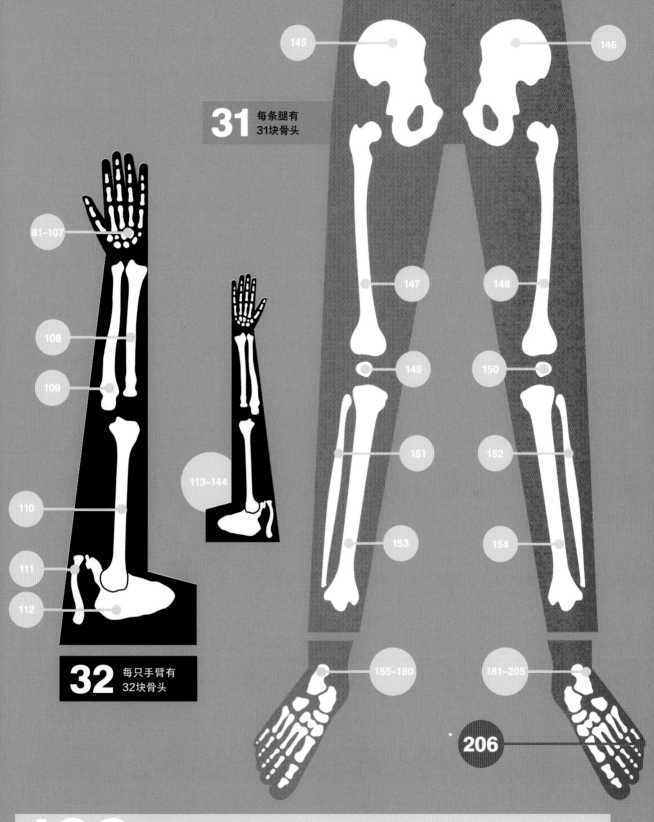

31 每条腿有
31块骨头

32 每只手臂有
32块骨头

126 块
附肢骨骼

由两部分组成：
上肢骨和下肢骨

25

牙齿的重要性

身体的任何一部分都没有覆盖在每颗牙齿上的釉质坚固。牙釉质之下是牙本质，也很坚硬而且耐磨。牙骨质具有"生物胶"之称，它把每一颗牙齿铆在下颌骨的牙槽里，这是另一种坚固耐磨的材料。整副牙齿——实际上，如果所有的恒牙都长出来且没有脱落的话，有 32 颗——在几乎整个一生的咬、咀嚼、磨和啃以及露齿微笑中都发挥着作用。

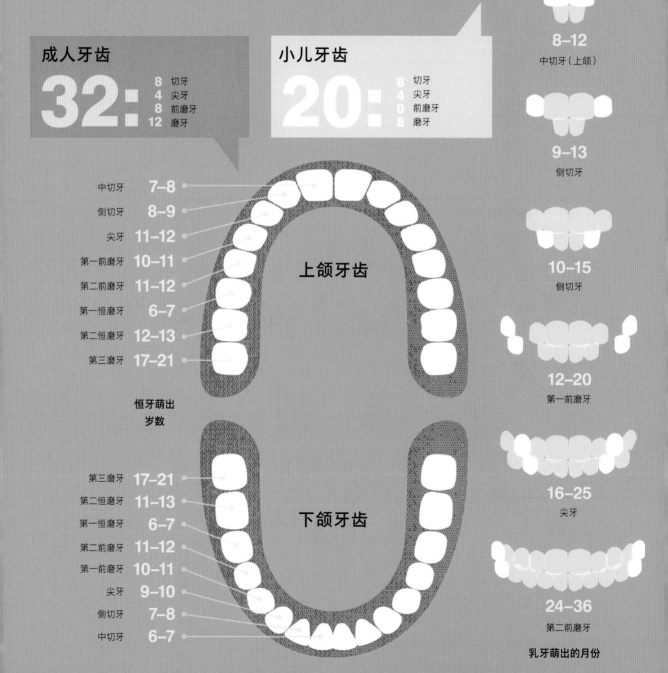

成人牙齿

32:
8	切牙
4	尖牙
8	前磨牙
12	磨牙

小儿牙齿

20:
8	切牙
4	尖牙
0	前磨牙
8	磨牙

上颌牙齿

中切牙	7–8
侧切牙	8–9
尖牙	11–12
第一前磨牙	10–11
第二前磨牙	11–12
第一恒磨牙	6–7
第二恒磨牙	12–13
第三磨牙	17–21

恒牙萌出
岁数

下颌牙齿

第三磨牙	17–21
第二恒磨牙	11–13
第一恒磨牙	6–7
第二前磨牙	11–12
第一前磨牙	10–11
尖牙	9–10
侧切牙	7–8
中切牙	6–7

6–10
中切牙（下颌）

8–12
中切牙（上颌）

9–13
侧切牙

10–15
侧切牙

12–20
第一前磨牙

16–25
尖牙

24–36
第二前磨牙

乳牙萌出的月份

26

牙根有多少个？

切牙、尖牙、大部分前磨牙

上面（上颌）的第一前磨牙、
下面（下颌）的磨牙

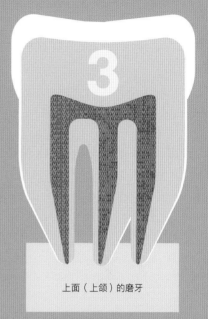

上面（上颌）的磨牙

智齿

智齿就是四颗第三磨牙，在下巴两边的后侧各有一颗。它们通常是突然长出来的，而且要等这个人成为一个"有智慧的"成人之时才会长，也就是在 17~21 岁之间。但是不同的人表现各异。它们可能从来都不会长，或者虽然长但不萌出，或者异常萌出，或者"歪着"长并压迫或影响相邻的牙齿。

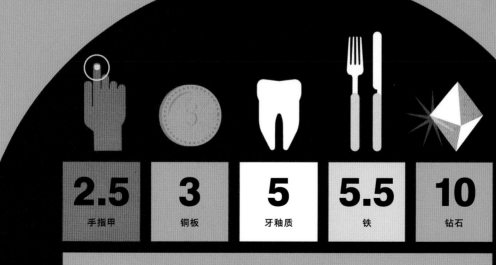

2.5	3	5	5.5	10
手指甲	铜板	牙釉质	铁	钻石

牙齿有多硬？

测量"硬度"有很多种方法。有种著名而简略的方法是莫氏硬度表，用于表示矿物硬度，基于一物在另一物上的划痕的深度，共分十级来表示硬度。

许多种长度

管状器官占了体重的四分之一。血液系统、淋巴系统、消化系统和泌尿系统基本上是含有液体的网格状管道，它们的直径有的比一个拇指还大，有的仅仅是头发的十分之一。这些不同管道的复杂性和紧密性令人难以置信，它们弯曲、折叠、盘绕，适应了人体的构造。但是解开这些缠绕并把它们拉直，并将其首尾相接，那么我们就能直观而诡异地发现它们超级长。

消化系统：

口腔＋咽＋食道＋胃＋小肠＋升结肠＋横结肠＋降结肠＋乙状结肠＋直肠＋肛门

9.5
米

9.5米

泌尿系统
肾脏中的肾小管（过滤单元）

50 千米

科罗拉多大峡谷　　　　29千米　　　　马德里　　　　巴黎

心血管系统

毛细血管	**50000**
小动脉和小静脉	**49000**
中动脉、中静脉 和大动脉、大静脉	**1000**

100000千米

地球周长的
2.5 倍！

淋巴系统

每个区域的淋巴结的平均数量：
腹部 260 颈 150 腹股沟 40 腋窝 40

400-700

柏林　　　　　　华沙　　　　　明斯克　　　　莫斯科

淋巴结和淋巴管的总长度（千米）

4000

肌肉之最

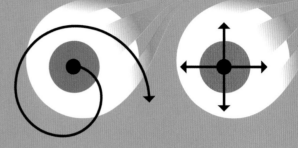

眼外肌
位于眼球左右两侧和后方，使眼球旋转运动。

最长的肌肉

缝匠肌
越过大腿前方，使大腿屈曲和举起。

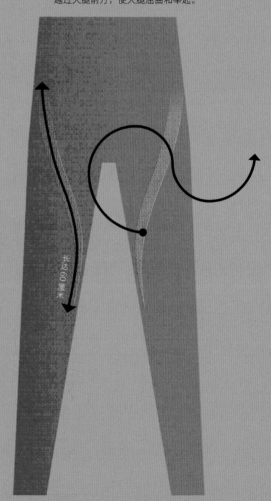

长达60厘米

肌肉名称的含义

肌肉约占全身重量的五分之二。实际上在身体的几乎所有部位，从额头上的枕额肌到位于脚底的足内在肌，非显而易见的肌肉有 640 多块。

肌肉的一个特点就是它们又长又复杂的名字。根据解剖上的惯例，在前面（前部、腹部）、背面（后面、背部）及其他位置，名字就会有不同。或者可能根据它们所附着的骨头、有时是与之并行的神经来命名。也可能是附近的一个主要器官。或者是它们所影响到的运动：屈肌使之弯曲、伸肌使之伸直。另一种命名方式是肌肉的形状：肩部的三角肌近似三角形（像河的三角洲或者是希腊字母 Δ）。事实上，除了一些不太走运的肌肉外，几乎所有的这些因素都是它们的长长名字的缘由。

最柔软的肌肉

上纵肌

在舌（实际上共有 12 块复杂的肌肉）的上表面。有利于舌的广泛活动。

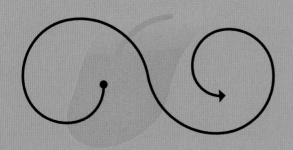

同等大小最强壮的肌肉

咬肌

在脸和头的两侧。用于咬和咀嚼。

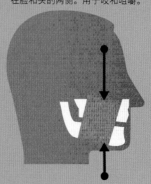

最长的肌肉名字

levator labii superioris alaeque nasi

抬起	上唇	并使鼻的下侧外倾

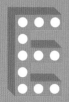  

它有助于冷笑，简称"埃尔维斯肌"，命名源于"猫王"埃尔维斯·普雷斯利，这是他的标志性笑容。

最小的肌肉

镫骨肌

位于内耳内部。抑制过度的噪声所引起的震动。

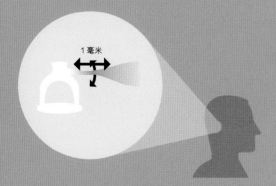

最大的肌肉

臀大肌

构成臀的大部分。牵拉大腿向后，使之行走、跳跃、跑动。

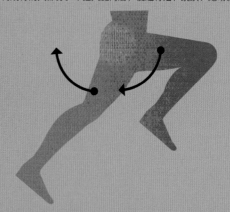

牵拉的动力

活体肌肉充满了能量，以适应其大小和重量的需要，但是测定人的力量、动力和工作能力却有很多问题。一块简简单单的肌肉的收缩取决于它的基本状态（特别是有无规律地好好使用）、收缩速度和参与收缩的肌纤维的数目（取决于控制它的神经信号）、肌肉是否已经部分收缩或完全松弛（如果肌肉一直处于牵拉状态，则可能疲劳）和许多其他因素。

汇聚所有力量

据估计，如果人体所有肌肉都只作用于一个拉力，那么它们可以举起 20 吨重的东西，大概有三头非洲象那么重。

基本力量

一块截面积为一平方厘米的肌肉的最大力量为 40 牛顿——足以举起 4 千克重的物体。

一些比较

输出功率，W（瓦特，用于老鼠）或者 kW（1000 瓦特，用于其他物体）/ 功率重量比，W/kg（瓦特每千克）

0.2 / 5   **1–1.5** / 3.5   **10** / 20   **100** / 60

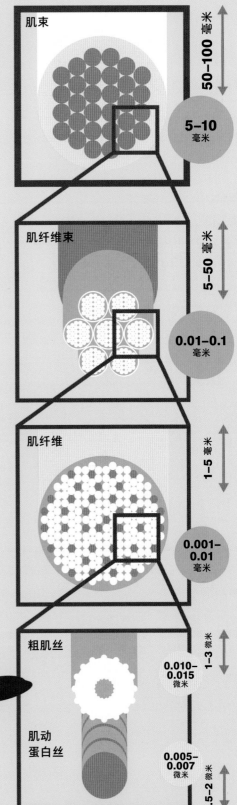

肌肉的里面的
里面的里面的里面

如肱二头肌（上臂）
松弛时长度：250 毫米
收缩时最大直径处面积：65 平方厘米

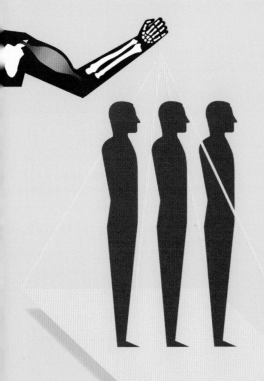

理论上
一块最大横截面积为 65 平方厘米的健壮肱二头肌，理论上可以举起
260 千克重的物体——相当于三到四个成年人的重量。

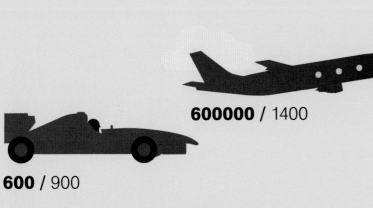

600000 / 1400

600 / 900

肌束

50-100 毫米

5-10
毫米

肌纤维束

5-50 毫米

0.01-0.1
毫米

肌纤维

1-5 毫米

0.001-
0.01
毫米

粗肌丝

1-3 微米

0.010-
0.015
微米

肌动
蛋白丝

0.005-
0.007
微米

0.5-2 微米

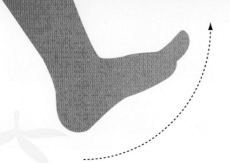

滑不滑？

滑动摩擦系数，润滑的 [1]，相邻的材料之间

0.003 软骨 + 滑膜液
0.005 冰刀 + 冰
0.02 冰 + 冰
0.02 BAM + BAM[2]
0.04 PTFE + PTFE[3]
0.05 雪橇 + 雪
0.2 钢 + 铜
0.5 钢 + 铝
0.8 橡胶 + 混凝土

1 运动时的滑动阻抗
2 硼铝镁，最滑的人造固体之一
3 聚四氟乙烯，品牌产品包括特氟龙

球 & 窝的
200
肱骨　肩胛骨

球 & 窝的
骨盆
股骨
190

接合状（固定）的
大多数颅、面部关节

挂圈状的
椎骨
椎骨
椎骨

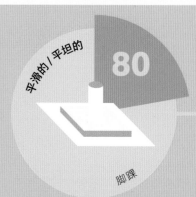

平滑的／平坦的
80
脚踝

关节处的连接

人骨架中的关节有 170 到 400 个，取决于它们是如何定义的——无论三块骨头是否连在一块儿，每块骨头和其他骨头至少都有某种接触，这样可算一个、两个或三个关节。这些复杂的物理结构一直以来都很好使，因为骨端覆盖了一层软垫样的、滑滑的软骨，并被超级润滑的关节液润滑着。另外，还有一个牢固的袋状囊包裹着关节接头，具有弹性的韧带连接着骨头，让关节可以运动但又防止骨端分离时所造成的关节脱位。骨端分离会非常痛，一旦经历过就很难忘记这种感受了。

髁状的
140
脚趾

表示的是年轻成人的关节灵活度的常见范围。

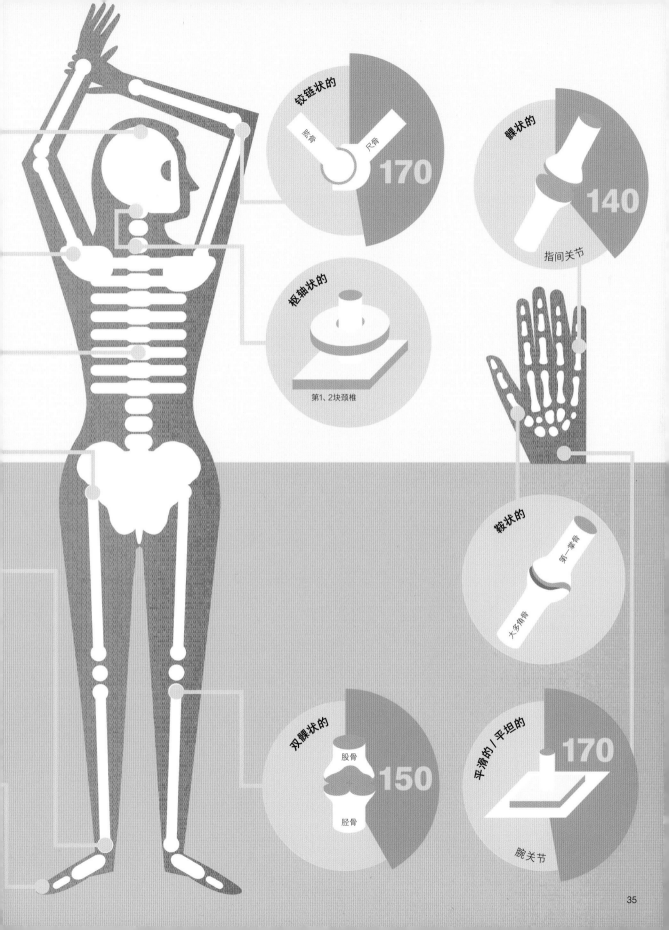

铰链状的

肱骨　尺骨

170

髁状的

140

指间关节

枢轴状的

第1、2块颈椎

鞍状的

第一掌骨

大多角骨

双髁状的

股骨

150

胫骨

平滑的｜平坦的

170

腕关节

生命的呼吸

进行一次深呼吸。呼吸得更深一些，然后再深一些，继续下去……

但即使是最深的吸气也不可能填满肺部。呼吸过程和躯体呼吸（而不是细胞呼吸）的目的是把新鲜的空气吸到肺里去。在肺中，氧气进入血流，并继续进入下一个系统，即心血管系统，以供全身的分布。呼吸的第二个目的是排出废物二氧化碳（由细胞呼吸产生），二氧化碳浓度只要超过正常值的10%~20%，就会导致气喘、头晕，甚至昏迷。呼吸的第三个目的就是有利于说话和发出其他声音。因此，呼吸道、肺和胸部肌肉一直在呼吸，吸进去、呼出来，每年要进行800万~1000万次。

810 米

一生中所呼吸的空气（升）

280 000 000

如果你剧烈地打喷嚏，从你的鼻孔喷出的气流速度可达到20米/秒或72千米/小时。

吸入气体的百分比（%）

78 氮气

氧气 **21**

其他气体少于 **1**

二氧化碳 **0.3**

水蒸气（不固定）

4–6
亿个肺泡（微小的气囊）

2500
千米长的支气管、细支气管的管道

1000
千米长的毛细血管（小血管）

静息时的呼吸频率

10-25	12-18	16-25	20-25	30-45	30-60
70 岁 +	成人	10 岁	5 岁	1 岁	新生儿

20-30

中度运动时

50-60

剧烈运动时

每分钟吸入 + 呼出的次数
静息时呼吸容量 6~8 升 / 分钟
最大呼吸容量 200~250 升 / 分钟

呼出气体的百分比（%）

氮气	**79**
16	氧气
4	二氧化碳
1	其他气体小于这个值
	水蒸气（不固定）

重要的节律

心脏——一个看似简单的双泵肌肉袋——在整个一生中跳动次数达 30 亿次乃至更多。如果它停止了跳动，那么生命也就停止了（除非旁边有关键的医疗救助）。实际上，心脏和它的血液系统是非常复杂的。即使没有身体，心脏本身固有的收缩频率也达 60~100 次 / 分钟，这是因为它有自己的一套天然起搏器。身体的影响——主要是大脑的迷走神经信号和激素如肾上腺素——会改变这种频率，同时也会改变每次搏动的容积和力量，从而与身体的巨大需求相匹配。

不同人群的静息心率（次 / 分钟）

120 新生儿

90 1岁

80 10岁

60-80 成年人

40-60 运动员

58-80 70+岁

能量
每一天心肌产生的运动能量，足以让卡车开 30 千米。

静息时
心脏用血液填满一个澡盆需要 30 分钟，填满一个奥运会的游泳池需要 5 年。

颈部

颈动脉

心率
每次心脏跳动时，高压血流沿着动脉血管向四周扩散。最容易感知动脉所在的部位就是皮肤下方，其后有较硬的组织。通常在手腕的桡动脉处，位于拇指基底部往下一点位置。

臂动脉
在手臂内侧

桡动脉
腕部

股动脉
腹股沟处

腘动脉
膝关节后方

足背动脉
脚背

胫后动脉
踝关节

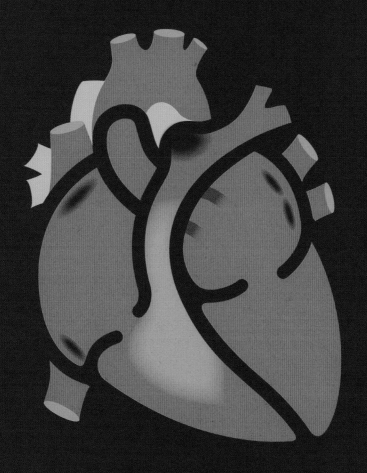

心脏的物理属性
约为人体自身的
握紧的拳头大小

350

平均质量（克）

压力之下

身体的几乎每一个部分*——体内的每一个细胞——都依赖于流动的血液带来氧气和养分、带走二氧化碳和其他废物。心脏跳动产生了血流，可分为两个时相。在舒张期（diastole，是"dye-ass-toll-ee"的缩写），这个器官的肌壁舒张，在低血压的情况下，血液从静脉回流，心脏随之增大。静脉——宽、软、薄壁的通道，让血液从最小的血管即毛细血管回流到心脏中去。一秒钟之后就是收缩期（systole，是"siss-toll-ee"的缩写），在此期间，心肌绷紧并收缩，迫使血液在高压下冲出心脏、冲入厚壁的肌性动脉，后者不断分支最终形成毛细血管。这里所说的压力是全身各个系统中最高的压力，通过分布在血管分支网中的压力行波可以让血管鼓起来。

（*人体中没有直接血液供应的部位很少，比如眼角膜和晶状体；假使它们有直接血供，那我们的世界就会被一张红色的网遮挡住。）

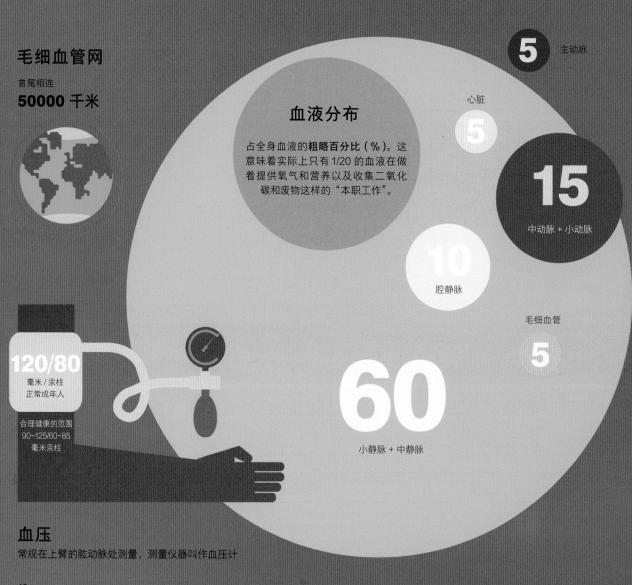

毛细血管网

首尾相连
50000 千米

血液分布

占全身血液的**粗略百分比（%）**。这意味着实际上只有 1/20 的血液在做着提供氧气和营养以及收集二氧化碳和废物这样的"本职工作"。

5 主动脉

5 心脏

15 中动脉 + 小动脉

10 腔静脉

5 毛细血管

60 小静脉 + 中静脉

120/80
毫米 / 汞柱
正常成年人

合理健康的范围
90~125/60~85
毫米汞柱

血压

常规在上臂的肱动脉处测量，测量仪器叫作血压计

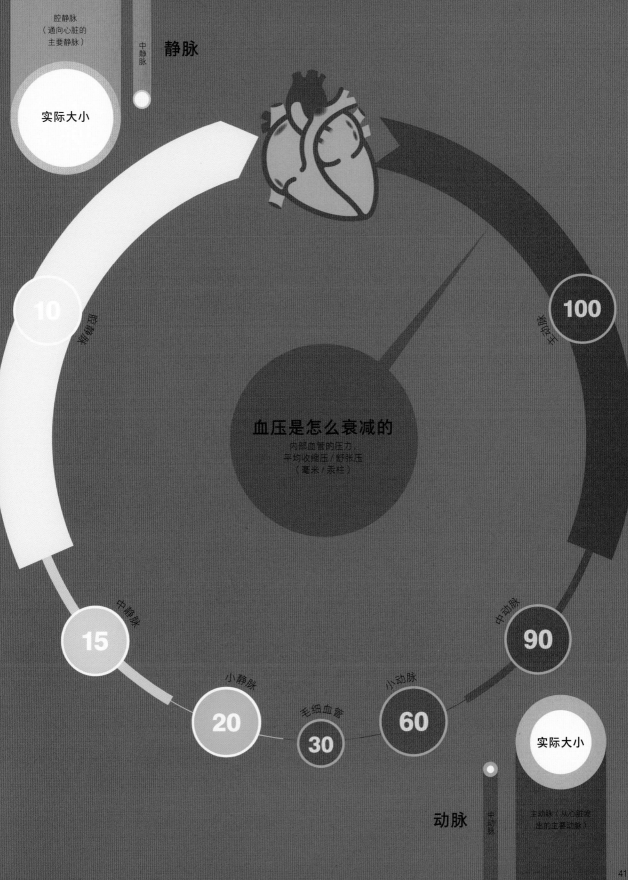

静脉

腔静脉
（通向心脏的
主要静脉）

中静脉

实际大小

10

腔静脉

15 中静脉

20 小静脉

30 毛细血管

60 小动脉

90 中动脉

100 主动脉

血压是怎么衰减的
内部血管的压力，
平均收缩压/舒张压
（毫米/汞柱）

实际大小

动脉

中动脉

主动脉（从心脏发
出的主要动脉）

是什么造就了冠军？

冠军运动员的身体配方很复杂，有许多不同的因素在起作用：包括训练的机会；教练员、营养学家、生理学家和其他专家的素质；以及设备、位置和其他设施。还有许多是心理因素：自我激励、绝对勤勉，以及胜利的意志；此外，家人和朋友的支持也发挥着重要作用。但最为重要的也许是一个人的发挥作用的基因：你的构造方式也许让你更加适合于参加某项体育运动而不是另一项运动。

170
高度（厘米）

50–55
体重（千克）

比其他相同身高的人要轻
15 %

心室容积增加

65–75

躯干较短

四肢更加修长

不那么发达的股四头肌、臀肌、小腿肌

肌肉羽状角更大

腿更长

肌肉质量较低，线条不明显

关节灵活性适中

比较收缩的肌肉
赛跑时男性和女性体内的快缩肌纤维、慢缩肌纤维的百分比（%）

100
♂ 20–50 50–80
♀ 25–30 70–75

800
♂ 35–60 40–65
♀ 45–70 30–55

10000
♂ 55–75 25–45
♀ 50–75 25–50

活动时的心率最大值的百分比（%）

耐力型运动员
非常瘦（几乎零脂肪）

收缩的肌肉

大多数人的大部分肌肉含有两种纤维。慢缩肌纤维（Ⅰ型）收缩缓慢，产生的动力较少，但是可以长时间工作而不疲劳。快缩肌纤维（Ⅱ型）收缩迅速，产生短时的爆发力或爆发速度，但是很快就会疲劳。不同类型的训练可以最大限度地促进现有纤维的生长并增加其强度，从而改变它们对运动的相对作用。缓和的运动促进慢缩肌纤维的发展，剧烈的运动促进快缩肌纤维的发展。快缩肌纤维和慢缩肌纤维的平衡是由基因决定的，"强壮"版本的基因是ACTN3，它可以增加快缩肌纤维的比例。

183
高度（厘米）

75–80
体重（千克）

比其他相同身高的人要轻

2–5
%

心室壁更厚

80–90

躯干比例匀称

关节灵活
性好

肌肉的羽状
角更小

四肢比例匀称

腿部肌肉的
肌纤维更长

肌肉质量较高，
线条明显

慢缩肌纤维

快缩肌纤维

短跑运动员

瘦（脂肪含量很少）

更快、更高、更强

现代奥运会自 1896 年拉开序幕。在 1924 年，Citius、Altius、Fortius（"更快、更高、更强"）成了它的官方格言。这句格言称颂了自奥运会在古希腊首次举办以来，人类的运动和其他技能是如何达到极限并且获得了全世界的认可。奥运会中的 20 多项体育运动采用了世界标准来评定一个人的身体力量。自那以后，身体上，奥林匹克胜利在速度、高度和强度方面不断进步。然而，在这方面，有很多因素发挥着作用。饮食、卫生、公众健康状况一直在稳步推进，专业技能、训练、培训和设备也一直在改进。20 世纪 30 年代末和 40 年代初的奥林匹克运动会因为战争而中断。20 世纪五六十年代则见证了相当多的滥用类固醇和其他药物的可疑事件。在一项运动的技术中，偶尔会出现量子跃迁式的重大改变，如 1968 年奥运会的跳高项目出现了"背越式跳高"。如今奥林匹克运动仍然是我们衡量人体运动达到极限时所获成就的标准。

奥林匹克 100 米短跑项目
只选择了有进步的时间（秒）

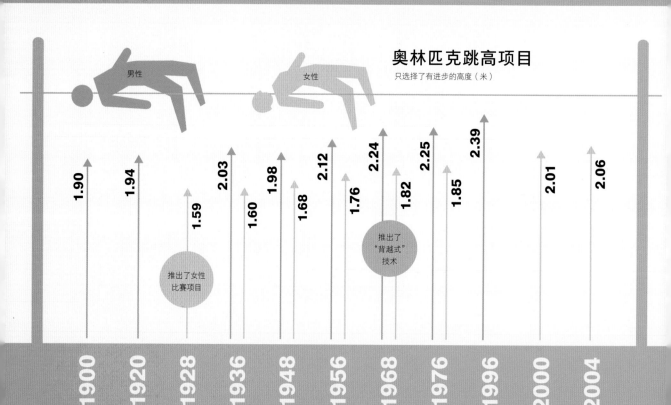

奥林匹克跳高项目
只选择了有进步的高度（米）

男性 · 女性

推出了女性比赛项目

推出了"背越式"技术

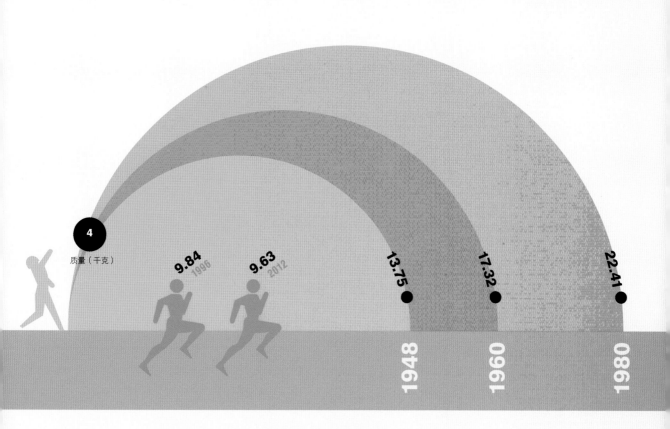

4

质量（千克）

9.84
1996

9.63
2012

13.75 ●

17.32 ●

22.41 ●

1948

1960

1980

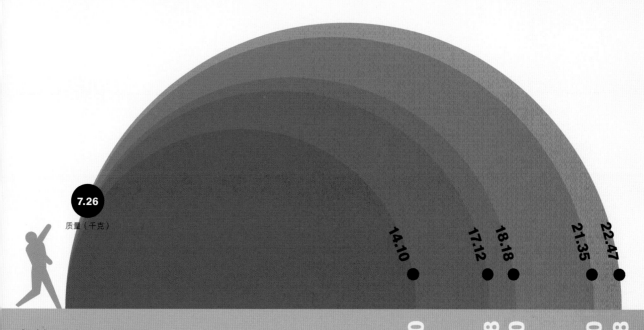

7.26

质量（千克）

14.10 ●

17.12 ●

18.18 ●

21.35 ●

22.47 ●

1900

1948

1960

1980

1988

奥林匹克铅球项目

只选择了有进步的距离（米）

化学身体
CHEMICAL BODY

化工厂

一切物质都是由原子组成的。人体也不例外，含有大量的原子，因为人体中有各种比例的纯化学物质。这些存货是怎么编排的呢？一种方法是按照元素的质量（重量）百分比把它们一个一个地列出来。这种方式适合于较重元素的编排：如铁，其原子质量几乎是氢这种最轻元素的56倍。另一种方法是列出原子的数目，由于水（H_2O）占到身体60%的重量，这种方法可以算出它的两个元素即氢和氧的含量。所以，氢占体重的9%~10%，但是却占原子数目的65%~70%。

含量最高的十种元素（%）

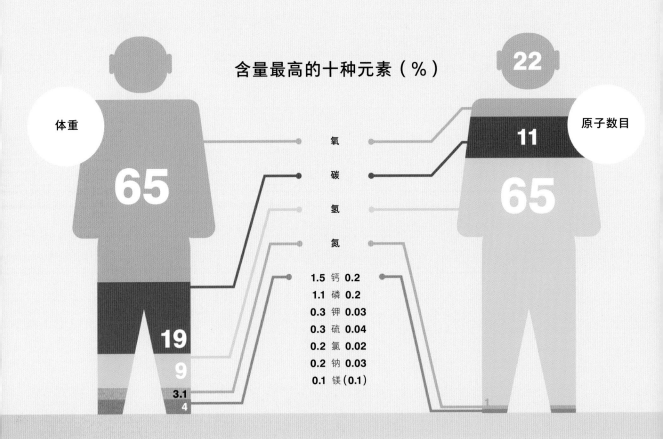

体重

原子数目

22

11

65

65

氧
碳
氢
氮

19
9
3.1
4

1.5 钙	0.2
1.1 磷	0.2
0.3 钾	0.03
0.3 硫	0.04
0.2 氯	0.02
0.2 钠	0.03
0.1 镁	(0.1)

一副70千克重的身躯有足够的……

O 氧原子可以充满……

5
大罐氧气瓶（45千克）

Fe 铁原子可以制造……

6
枚钢制的回形针（3克）

N 氮原子可以生产……

10
袋花园堆肥（2千克）

含量小于 0.1% 的微量元素

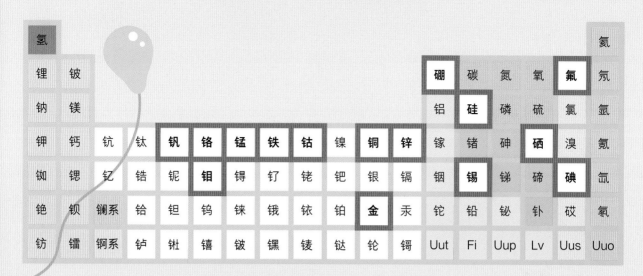

矿物质财产?

把一个人身体中所有的元素提取出来并通过全球贸易市场卖出去,大概能卖到

 **£3000**

在他们的塔尔沙漠般的身体中含有金子!

一个人的身体中所含金约 0.2 毫克,可以制作一个边长为 0.2 毫米的正方体。

0.0002 克

H 氢原子可以充满……

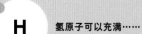

5000

个派对用的气球(6 千克)

C 碳原子可以生产……

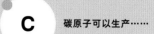

10000

支石墨铅笔的笔芯(13 千克)

P 磷原子可以制造……

20000

个火柴头(800 克)

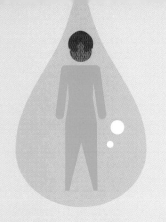

湿润的身体

人体的大部分是水。身体中水的分布很广，它所占的比例平均为三分之二，因健康状况和环境而自然波动。例如，身体的脂肪比例较高的话，会降低身体的含水量，因为相对于其他身体组织：如骨，脂肪组织的含水量更少。但即便如此，身体依然有很多水——对于一个 70 千克重的人而言有超过 45 升水，足够进行一次快速的洗浴。三个人体所含的水足以让你在一个相当大的浴缸里扑腾了。

让水分留存在体内是不可能的。水分必须被排出体外以带走可溶性的以及可能有害的废物，主要通过尿液排出。每天大约三升水就足以满足日常运转所需。但是，在炎热的环境下或运动时，以及摄入了诸如酒精这样的物质后，需水量会更多一些。

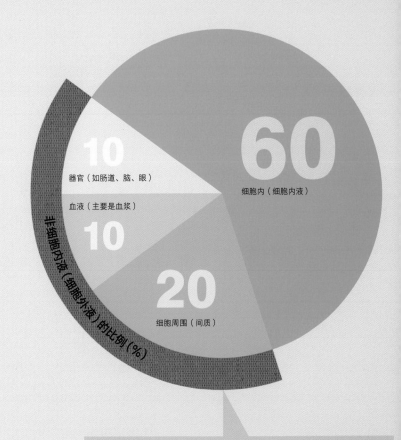

非细胞内液（细胞外液）的比例（%）

10 器官（如肠道、脑、眼）

血液（主要是血浆）
10

60 细胞内（细胞内液）

20 细胞周围（间质）

在哪里有水
生物学家会讲到水的"隔间"。这不是指身体内部有整洁的柜子或房间，而是指在数百万的细胞、几百个组织和几十个器官的内部、之间以及其周围，积聚了很多水分。

不同年龄段的平均含水量（按体重算）百分比（%）

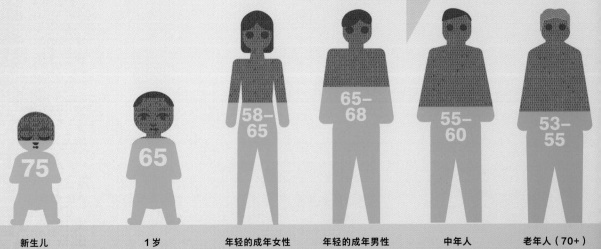

新生儿	1 岁	年轻的成年女性	年轻的成年男性	中年人	老年人（70+）
75	65	58–65	65–68	55–60	53–55

每日水的周转量 2700
（毫升）

750
食物

300
代谢水 [1]

1650
饮水

器官和组织中的水
占体重的百分比（％）算。包括它们内部的体液如血液、尿液

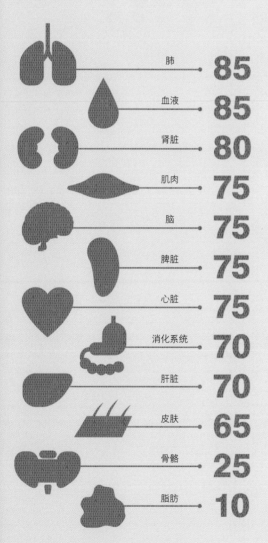

肺	85
血液	85
肾脏	80
肌肉	75
脑	75
脾脏	75
心脏	75
消化系统	70
肝脏	70
皮肤	65
骨骼	25
脂肪	10

200
粪便

1700
尿液

800
皮肤、肺 [2]

2700

1　在糖和类似的碳水化合物分解并释放能量时，这个化学过程的一种天然副产品就是水。
　　这有利于增加体内水的摄入量。$C_6H_{12}O_6 + 6CO_2 > 6CO_2 + 6H_2O + 能量$，或者用文字表述就是：糖 + 氧气 > 二氧化碳 + 水 + 能量。

2　在任何情况下皮肤都会渗出少量水，这称为"隐性"发汗。另外，呼出气体中的水蒸气几乎已经达到饱和，它是从肺和呼吸道的潮湿的内壁上蒸发而来的。

微量营养素

人体需要大量的营养物质，但其需要量远小于对碳水化合物、脂肪、蛋白质和膳食纤维这些主要的宏量营养素的需要量。大多数"微量营养素"是维生素和矿物质。维生素是机体所需的使其能顺利运行的有机物质。大部分维生素要从食物中直接摄取，因为人体不能自己产生足够的量。矿物质是简单的化学物质，比如钠、铁、钙和锰，以及非金属类或者盐类，如氯化物、氟化物和碘化物。

每日摄入量[1]
单位为 mg[2]

3000
氯化物[3]

蛋
900
硫[4]

红薯
200
钾

南瓜籽
800
磷

菠菜
300
镁

主要的矿物质
人体对这些主要矿物质的每日所需量至少为 100 毫克（0.1 克）

2000
钠

维生素

大部分维生素的每日需要量很少，有时候只需要百万分之几克。

15
B3 烟酸

B5 泛酸 **5**

20
E 生育酚

75-90
C 抗坏血酸

视黄醇 **0.7-0.9**

1.5-1.7 B6 吡哆醇

B2 核黄素 **1-1.3**

1-1.2 B1 硫胺素

维生素与矿物质的
相对比例。

90

18

一些维生素的需要量更少
400-600 µg[5] B9/Bc/M 叶酸
90-120 µg K 叶绿醌
30 µg B7 生物素
10-15 µg D 胆钙化醇
2-2.5 µg B12 钴胺素

18
铁

氟化物 **4**

微量矿物质

这里所列出的元素并不完整。完整的表单上所含种
类可以写满这本书的好几十页。

2 锰

2 铜

钼

碘化物

硒

铬

15
锌

牛奶

1000
钙

1   RDI 每日参考摄入量或每日推荐摄入量；另外还有许多相似的分类如：RDA 每日推荐供给量、AI 适宜摄入量
2   mg 毫克（1 克的 0.001 或千分之一），除非另行规定
3   氯化钠（食盐）
4   硫无官方 RDI 数据；其总量根据健康的摄入量的平均值而定
5   µg 微克（一克的 0.000001 或一百万分之一；一毫克的 0.001 或千分之一）

宏量营养素

标准的每日食物摄入量中所推荐的宏量营养素（按克计）可提供的能量为 8700 kJ（千焦）或者 2100Cal（卡路里）。

300-310

碳水化合物

90

葡萄糖和其他糖

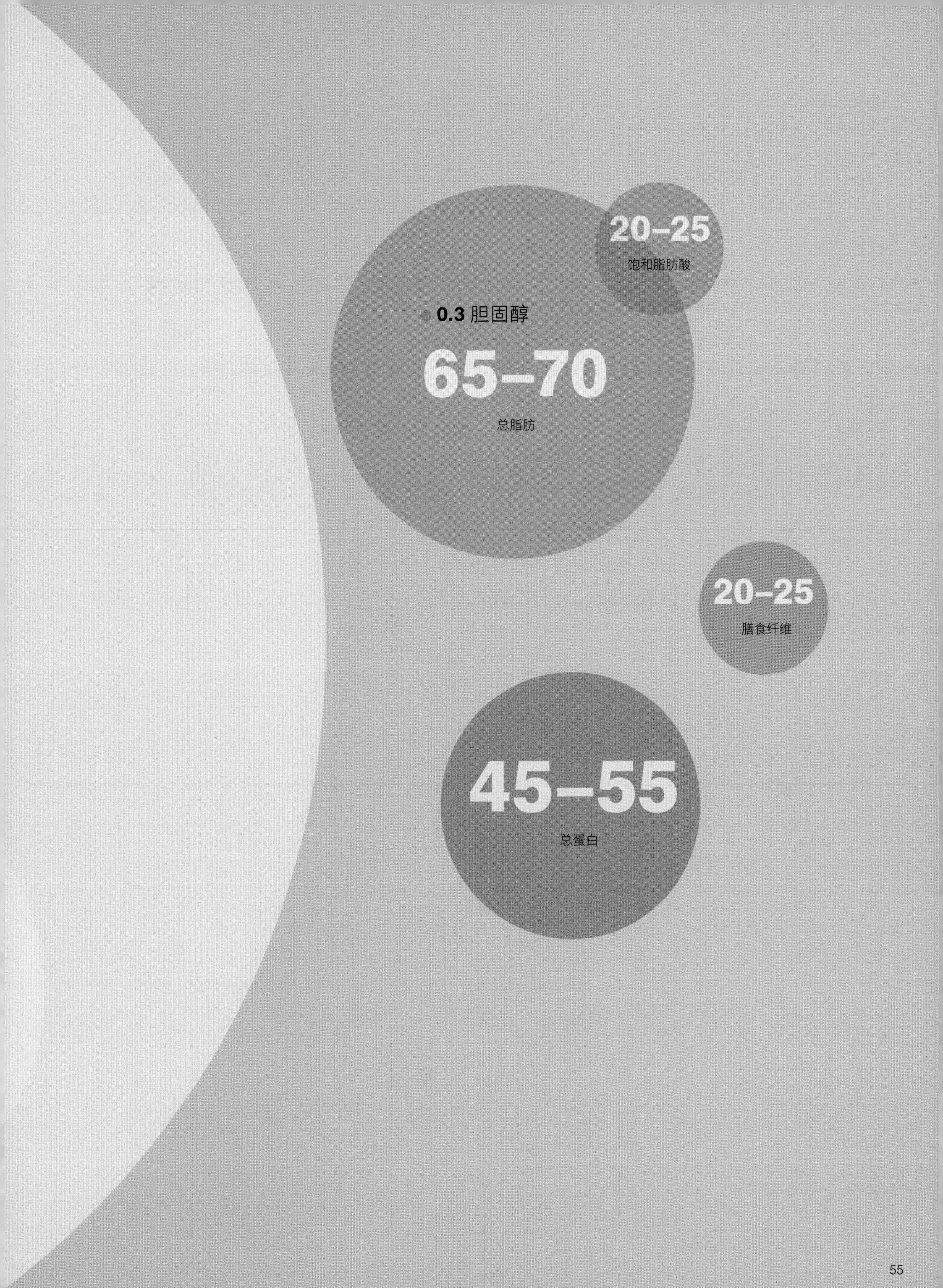

20–25

饱和脂肪酸

0.3 胆固醇

65–70

总脂肪

20–25

膳食纤维

45–55

总蛋白

你的器官和能量（%）

在非常活跃的个体中的主要耗能者。

代谢的奥秘

"代谢"一词是比较简便的泛称，指的是身体内每一个细胞在每分每秒所进行的一大堆化学反应、变化和过程，其中大部分作用相互联系、相互依赖。我们能粗略估计独立进行的化学反应数目，但它很快就变成了数百万个，然后数十亿个，接着数目就无法计算了。不过，人们已经对机体代谢能的利用展开了深入研究，这促进了主流生理学、运动饮食和确定极端环境下的应急储备粮食配给等多领域知识的发展。

耗能百分比（%）

能量的用途（要处在相对放松的环境、舒适的体温、空腹等条件下进行测量）。

不同生活方式及所需能量（千焦／天）

活动举例

1 久坐不动：大多是办公桌的工作
2 轻度活动：商店员工、护理、送货
3 非常活跃：建造房屋、园艺活动／景观美化、半专业或专业的体育运动

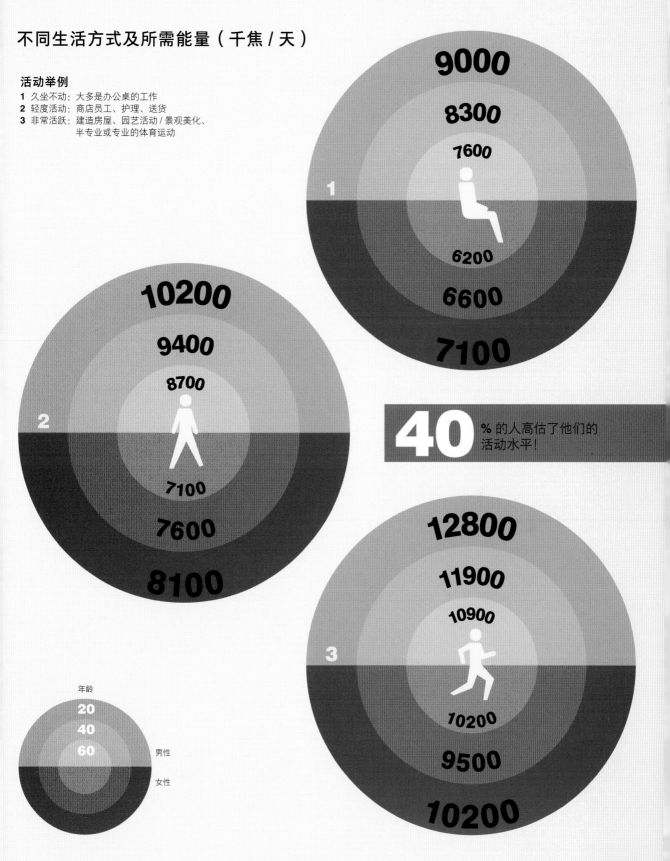

1

9000
8300
7600
6200
6600
7100

2

10200
9400
8700
7100
7600
8100

40 % 的人高估了他们的活动水平！

3

12800
11900
10900
10200
9500
10200

年龄
20
40
60

男性
女性

能量的摄入和输出

人体是一架能量转换机。它摄入化学能——以原子与分子之间数万亿种联系的形式贮存在食物和饮料中。经过无数的代谢过程，人体将这种能量转换成其他形式，尤其是运动时的动能、发热的热能、神经信号的电能，以及如说话的声能这样的各种形式的能量。

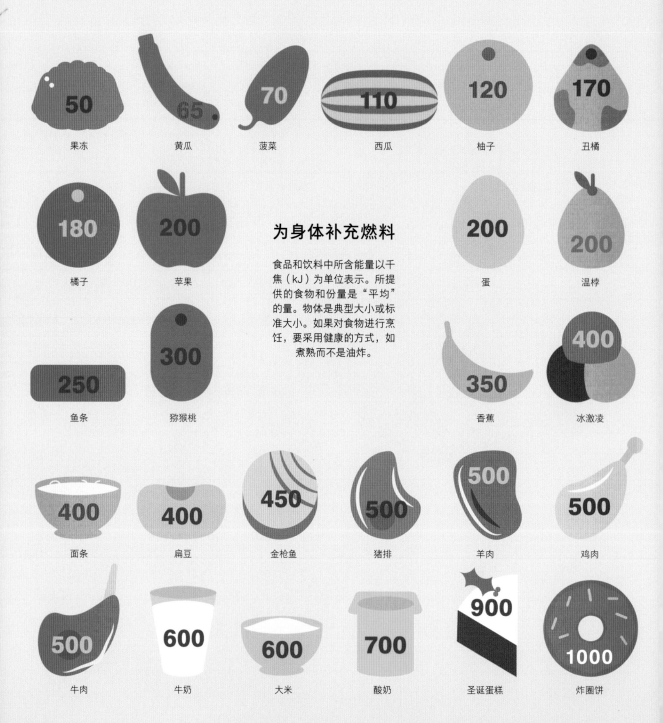

为身体补充燃料

食品和饮料中所含能量以千焦（kJ）为单位表示。所提供的食物和份量是"平均"的量。物体是典型大小或标准大小。如果对食物进行烹饪，要采用健康的方式，如煮熟而不是油炸。

果冻 50
黄瓜 65
菠菜 70
西瓜 110
柚子 120
丑橘 170
橘子 180
苹果 200
蛋 200
温梼 200
鱼条 250
猕猴桃 300
香蕉 350
冰激凌 400
面条 400
扁豆 400
金枪鱼 450
猪排 500
羊肉 500
鸡肉 500
牛肉 500
牛奶 600
大米 600
酸奶 700
圣诞蛋糕 900
炸圈饼 1000

随着时间的推移，有太多的能量被摄入人体却无法消耗，最终被转换成身体脂肪。能量消耗的不同，取决于体重——体重较重的能耗多、性别——女性的能耗通常比男性少 5%~10%，以及年龄——年龄增大而能耗降低。通常在人体中，一千克重的脂肪所含的能量足以让人跑三四次马拉松。

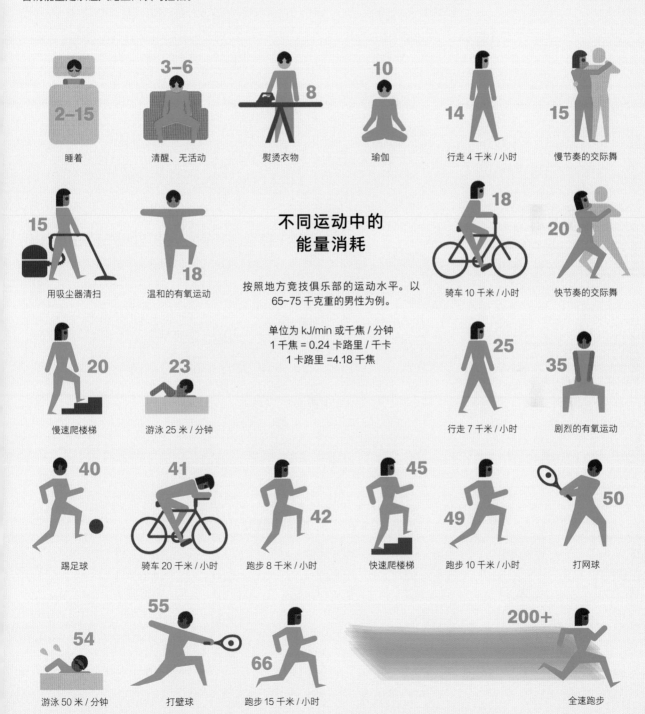

不同运动中的能量消耗

按照地方竞技俱乐部的运动水平。以 65~75 千克重的男性为例。

单位为 kJ/min 或千焦 / 分钟
1 千焦 = 0.24 卡路里 / 千卡
1 卡路里 =4.18 千焦

2–15 睡着

3–6 清醒、无活动

8 熨烫衣物

10 瑜伽

14 行走 4 千米 / 小时

15 慢节奏的交际舞

15 用吸尘器清扫

18 温和的有氧运动

18 骑车 10 千米 / 小时

20 快节奏的交际舞

20 慢速爬楼梯

23 游泳 25 米 / 分钟

25 行走 7 千米 / 小时

35 剧烈的有氧运动

40 踢足球

41 骑车 20 千米 / 小时

42 跑步 8 千米 / 小时

45 快速爬楼梯

49 跑步 10 千米 / 小时

50 打网球

54 游泳 50 米 / 分钟

55 打壁球

66 跑步 15 千米 / 小时

200+ 全速跑步

食物分解的路线

除了吸入的氧气外，人体的每一点能量都从食物和饮水中获得。获得这些能量就是消化的任务了，这个过程是一部有关分解和消亡的史诗故事。每一口美味的食物经过咀嚼变烂，沿着食道快速滑下去，被胃这个浴缸所迎接，胃里则盛着强酸和称为酶的破坏性胃液。经过胃后，食物现在变成了流淌着的糊状物，叫作食糜，再在小肠中被更多的酶分解，变为足够小的分子，小到能被肠壁直接吸收到血液中去。接下来是大肠，它的功能是吸收水分、某些维生素和其他养分，直到剩下的物质停在直肠等待着被排泄出去。

消化的区域

大部分营养物质的吸收部位在小肠。小肠的特点是，与简单的管道相比，肠道内壁的表面积会不断地增加（如下所示，单位为平方米）。

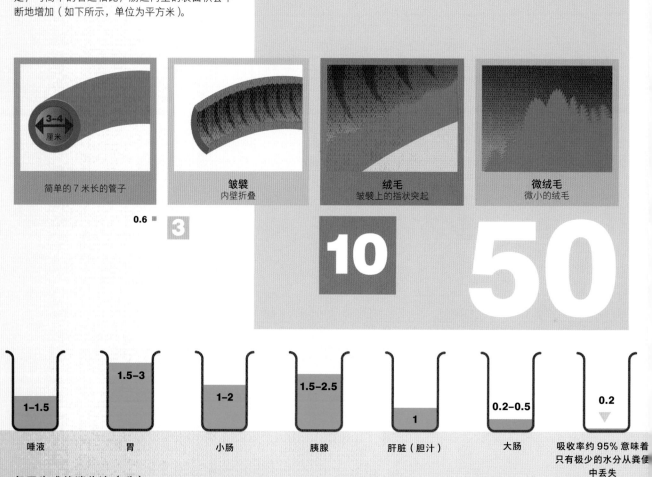

简单的 7 米长的管子　　　　皱襞　　　　　　　　绒毛　　　　　　　　微绒毛
　　　　　　　　　　　　　　内壁折叠　　　　　皱襞上的指状突起　　微小的绒毛

0.6　　3　　　　　　　　　　10　　　　　　　　50

唾液　　　胃　　　小肠　　　胰腺　　　肝脏（胆汁）　　大肠　　　吸收率约 95% 意味着只有极少的水分从粪便中丢失

1–1.5　　1.5–3　　1–2　　1.5–2.5　　1　　0.2–0.5　　0.2

每天生成的消化液（升）

消化过程涉及产生大量的以水为基础的消化液，以及水在大肠中显著的再吸收。这样，我们就不需要每天喝 10 多升的水了！

1　　假定是健康的、彻底的咀嚼。
2　　与碳水化合物和蛋白质相比，胃需要一两个小时或更长的时间来消化高脂食物。

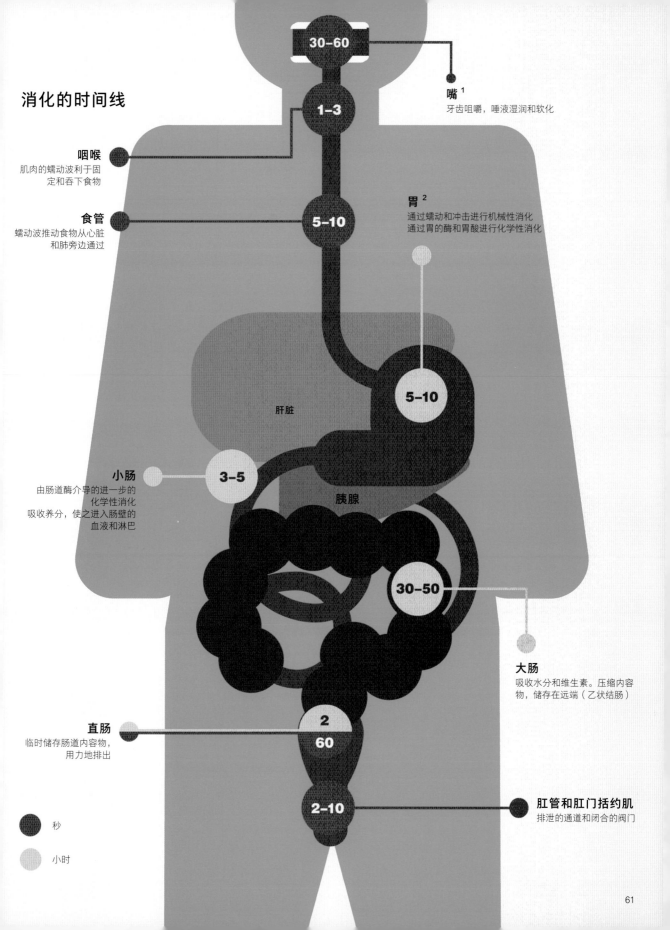

消化的时间线

30–60

嘴 [1]
牙齿咀嚼，唾液湿润和软化

1–3

咽喉
肌肉的蠕动波利于固定和吞下食物

食管
蠕动波推动食物从心脏和肺旁边通过

5–10

胃 [2]
通过蠕动和冲击进行机械性消化
通过胃的酶和胃酸进行化学性消化

5–10

肝脏

小肠
由肠道酶介导的进一步的化学性消化
吸收养分，使之进入肠壁的血液和淋巴

3–5

胰腺

30–50

大肠
吸收水分和维生素。压缩内容物，储存在远端（乙状结肠）

直肠
临时储存肠道内容物，用力地排出

2

60

2–10

肛管和肛门括约肌
排泄的通道和闭合的阀门

● 秒

● 小时

血液里的物质

血液中约一半是水。剩下的就是生命所需的最为重要的物质，包括溶解的氧气、富含能量的糖和脂肪、对抗疾病的抗体蛋白，还有重要的营养物质、矿物质和维生素。如果深入研究红细胞和白细胞，你很快会发现它们的数目和形态变化与众不同。新生红细胞每秒可产生两三百万个；每个红细胞内含有 2 亿 8 千万个红色的可携带氧气的血红蛋白分子；每个血红蛋白中含有 7000 多个原子。这样算起来每秒钟要组装六百万亿个原子。

1

0.5

53-57

43-46

血小板

在血液凝固中发挥部分作用

15 万 ~40 万个

每立方毫米

血浆

红细胞

运送氧气、二氧化碳

4 百万 ~6 百万个

每立方毫米

白细胞

吞噬入侵的微生物；产生抗体；全身免疫；攻击寄生虫和肿瘤细胞；参与过敏反应

4000~11000 个

每立方毫米

血液的主要分数

"分数"指的是相对组成或比例。
平均百分比（%）

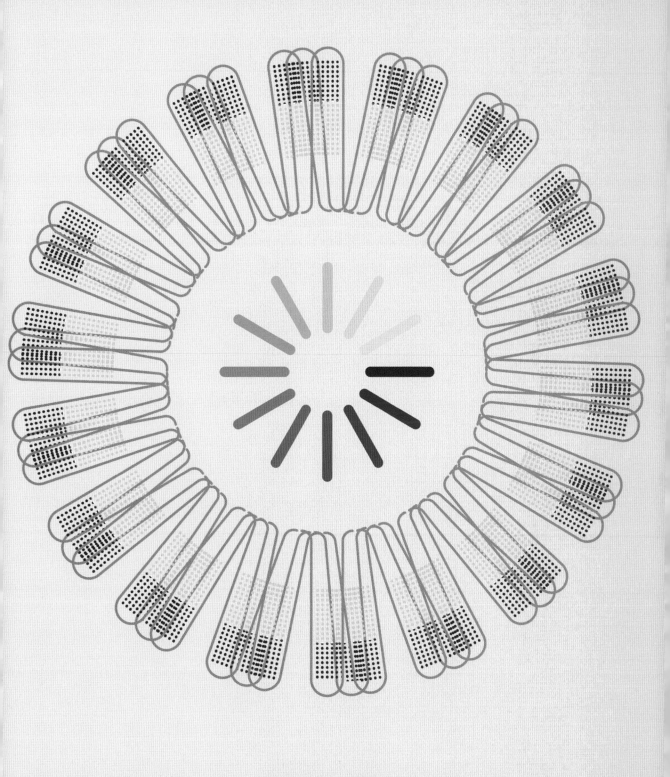

每分钟 15 万转

在以前，医生们把血液放进试管里，让地球的自然重力作用分离各种成分，从而对血液进行检查。如今，快速旋转的超速离心机以大于每分钟 15 万转（每秒 2500 转）的速度使血液回旋，这种速度可产生 2 兆克力，即通常重力的 200 万倍。这样就能把血液中最小的成分分开，包括病毒、DNA 和蛋白质。而等着让地球重力产生这种效果的时间可能要比宇宙的年龄还长。

低于 35.0 低体温	36.5~37.5 人体的正常温度	超过 37.5~38.3[1] 体温过高

X ℃

生存中的化学

温度是影响化学反应速度的一个关键因素。人体中阵容巨大的生化活动——人体代谢——都被精细地调整在一个很窄的温度区间内。这个范围通常是 36.5℃ ~ 37.5℃，每 24 小时之中正常波动可达 1℃。如果超出这个温度范围，控制大部分反应的酶类就要开始失去效能，一条中断的代谢途径会很快地使另一条途径也中断，产生迅速的连锁反应。

每日的体温波动（℃）

在每天的 24 小时里，在自然的生物节律的作用下，核心体温会有正常的上升和下降。
在此基础上，核心温度变动可达 0.5℃，这取决于周围的环境和人体活动水平。

37	36.4	36.4	36.8	37.5	37.4	37.3	37.1
凌晨	凌晨	上午	上午	中午	下午	下午	晚上

在冷水中

冷水带走体温的速度是空气的 25 倍，取决于水流速度。以下是在穿着普通的衬衫和长裤且有领式辅助漂浮装置的情况下，游泳水平一般的成年游泳者能在水里待的大概时间。

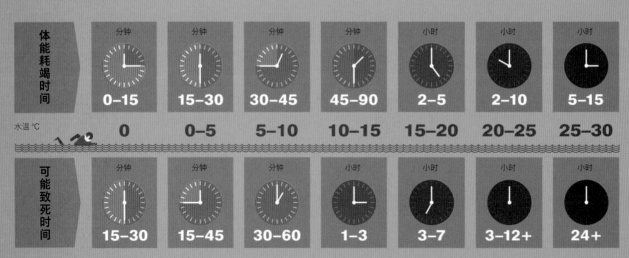

体能耗竭时间	分钟	分钟	分钟	分钟	小时	小时	小时
	0–15	15–30	30–45	45–90	2–5	2–10	5–15
水温 ℃	0	0–5	5–10	10–15	15–20	20–25	25–30
可能致死时间	分钟	分钟	分钟	小时	小时	小时	小时
	15–30	15–45	30–60	1–3	3–7	3–12+	24+

1　取决于体温在白天和晚上的正常变化（见上图）。

轻度

32–35
°C

皮肤苍白，感觉冷、劳累、饥饿，可能会恶心、发抖、速度减慢、运动协调性变差

低体温的进展

深度低体温会导致两种奇怪的行为：

呼吸迟缓，
心率下降

言语混乱，
头晕或神志不清

中度

28–32
°C

重度

低于

28
°C

运动神经支配
血管扩张
（血管舒张）

皮肤和周围温度传感器感知来自身体内部温暖血液中的额外的热量

脑接收到身体变得太热的感觉信息

失去意识

终末穴居行为
爬进或钻进密闭空间，这可能与原始的冬眠本能有关

脑觉察到因全身裸露而产生的脆弱感

反常的脱衣现象
脱下衣物

遗传学身体
GENETIC BODY

细胞核

含有遗传物质即 DNA，它控制
许多细胞的活动。

核仁

核糖体组装位点。

细胞内部

一个"典型"体细胞的形状像一个模糊的斑点，约 20 μm 宽，这意味着连续 50 个体细胞排成一排才有一毫米宽。
但问题是：这样"典型"的体细胞并不真的存在。与之最相近的可能是肝细胞，如图所示，它大概算是出色的"全才"
型细胞了。大多数其他细胞有非常特殊的形状和组成成分，在之后几页中会对此进行详细阐述。正如身体主要是
由器官构成的那样，细胞则是由细胞器所构成。最大的细胞器通常是细胞核，或者叫控制中心，它容纳了遗传物质，
即 DNA。此处也展示了其他的主要细胞器及其主要功能。

高尔基体

把细胞中要用到的脂类和蛋白质进行处理和包装，
或把它们运出细胞外。

多少个?

人体内细胞的估计数量范围是 **几十亿到 20 万万亿个**
（200 000 000 000 000 000）。

按细胞体积算，细胞大概有 15 万亿个，按质量算，大概为 **70 万亿个**。

最新的一种计算方式考虑了细胞的大小、数量以及它们在不同
组织中的排列方式。这种方法算到细胞数目大概有 **37 万亿个**
（37 000 000 000 000）。

一秒钟数一个数，则需要 **一百万年** 以上的时间。

细胞膜

控制进出细胞的物质，保护细胞内部结构。

HOW HEAVY?

有多重？

一个普通细胞的重量是1毫微克，即十亿分之一克或者……

0.000 000 001

克

细胞质

提供细胞骨架，形成细胞的形状、内部结构和编排；含有溶解性物质。

线粒体

分解高能物质，如糖类，从而为细胞提供能量。

溶酶体

是把衰老的、不再需要的物质进行分解和回收的区域。

内质网

脂质合成、蛋白质加工、酶类贮存、解毒。

HOW BIG?

多大？

人类或其他哺乳动物的一个细胞的平均尺寸或体积是

0.000 004

立方毫米

即一立方厘米的一亿分之四。

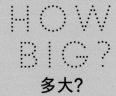

核糖体

合成蛋白质——通过增加氨基酸亚基生成大分子和蛋白质（见76页）。

细胞种类繁多

人体内有 200 多种不同的细胞。每种细胞都有特别的形状，胞内的组分和器官齐全，从而发挥其特殊作用。例如，神经细胞或神经元通过长长的蛇一样的突起——轴突（纤维）和树突——与周围的细胞进行信息交流。肌肉细胞中充满了线粒体，因为它们需要足够的能量，而红细胞中则有很多的可运输氧气的血红蛋白。以下例子列举了它们某些独有的特性。

皮肤

角化细胞
扁平状，充满了角蛋白，具有一定硬度，可保护皮肤。

红血球

红细胞
"双凹"形，吸收氧气的面积很大。

白血球

白细胞
灵活多变，可以在组织间挤压变形，从而追赶入侵者。

骨骼肌

骨骼肌细胞
长长的形如纺锤，在收缩时会变短。

心肌
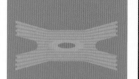
心肌细胞
既有分支又有交联；其他细胞休息时，一部分心肌细胞仍在工作。

神经

神经元
通过许多细的延伸结构与其他神经细胞相互沟通。

脂肪

脂肪细胞
大的袋状的液泡，储存脂肪。

骨骼

骨细胞
形状像蜘蛛网，滋养和修复周围的骨头。

制造胰岛素

胰腺β细胞
含有许多胰岛素的存储库。

杯状细胞

柱状上皮细胞
在肠道、呼吸道和其他部位产生黏液。

施旺细胞

神经膜细胞
生成髓鞘，包围并保护神经纤维。

结缔组织
成纤维细胞
有很多分支，用于生成胶原分子和其他结缔物质。

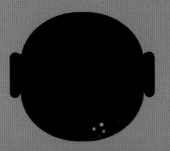

据估计，身体内部和表面生存着细菌和其他微生物，大部分很"友善"，它们的总数超过了体细胞，两者之比为 10：1，即总数约 400 万亿，是我们银河系中恒星数目的 2000 多倍。

40
骨

2
心脏

60
皮肤

50
脂肪沉积

×10 亿细胞……

240
肝脏

500
肠道

2000
脑

深入 DNA 内部

人体细胞的细胞核就是控制中心，在它的内部有 46 条遗传物质即 DNA，全称是脱氧核糖核酸。每一整条 DNA 分子，和与之相关的叫组蛋白的蛋白质，一起被称为染色体。这些染色体共计 23 对，每一对中的两条染色体是彼此的近似拷贝。这些 DNA 分子以化学密码的形式携带基因——指导着人体及其各部分进行自我生长、工作、维护和修复。

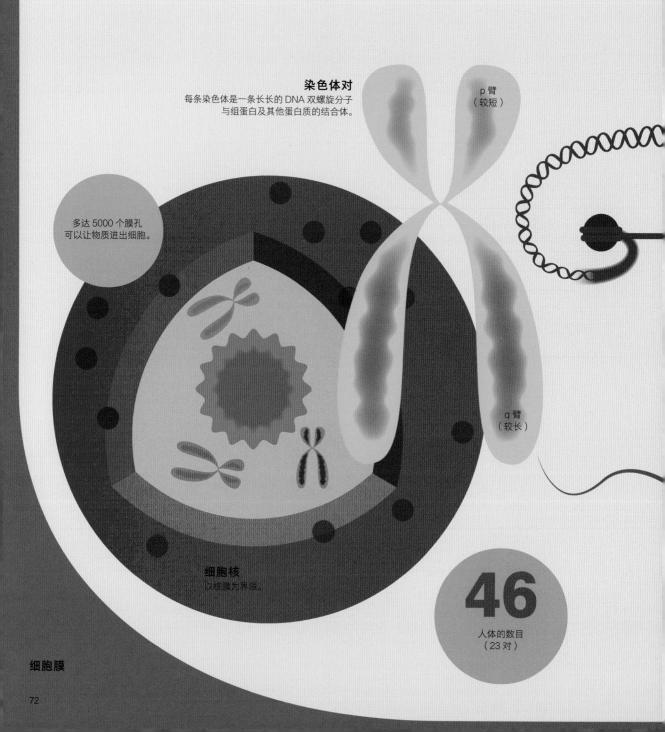

染色体对
每条染色体是一条长长的 DNA 双螺旋分子
与组蛋白及其他蛋白质的结合体。

p 臂
（较短）

多达 5000 个膜孔
可以让物质进出细胞。

q 臂
（较长）

细胞核
以核膜为界限。

46
人体的数目
（23 对）

细胞膜

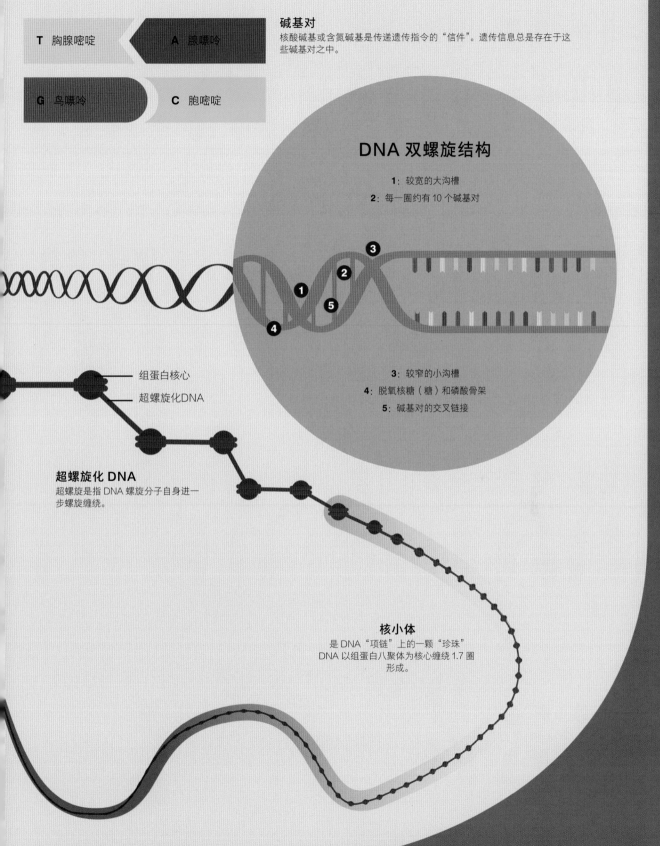

碱基对

T 胸腺嘧啶   A 腺嘌呤

G 鸟嘌呤   C 胞嘧啶

碱基对

核酸碱基或含氮碱基是传递遗传指令的"信件"。遗传信息总是存在于这些碱基对之中。

DNA 双螺旋结构

1：较宽的大沟槽

2：每一圈约有 10 个碱基对

3：较窄的小沟槽

4：脱氧核糖（糖）和磷酸骨架

5：碱基对的交叉链接

组蛋白核心

超螺旋化DNA

超螺旋化 DNA

超螺旋是指 DNA 螺旋分子自身进一步螺旋缠绕。

核小体

是 DNA "项链"上的一颗"珍珠"
DNA 以组蛋白八聚体为核心缠绕 1.7 圈形成。

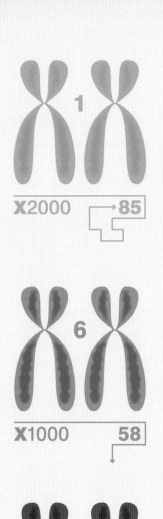

X2000 → **85**

X1400 → **83**

X1000 → **67**

X1000 → **65**

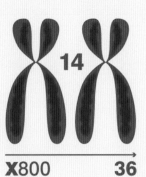

X1000   **58**

X900   **54**

X700   **50**

X800   **48**

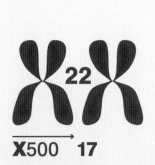

X800   **36**

X600   **35**

X800   **31**

X1200   **28**

X500 → **17**

X800   **53**

X50   **20**

X 染色体中大概含有
的基因数目

实际长度   每个染色体中的
DNA 解开缠绕后的
长度（毫米）

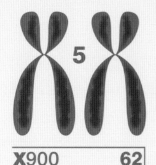

核型

核型指在一个特定的机体中所有染色体的表型，通常把它们摆成一排。人体的核型有……

5

X900 ← 62

22对

相同外观的染色体，按照由大到小的顺序粗略编号。

第23对

形态有异，称为性染色体 X 和 Y。

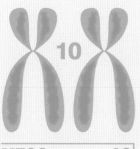

10

X700 ← 46

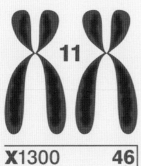

11

X1300 ← 46

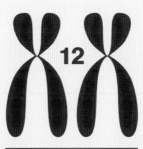

12

X1100 ← 45

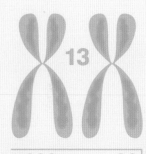

13

X300 ↓ 39

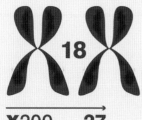

18

X200 → 27

19

X1500 → 20

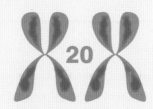

20

X500 → 21

21

X200 → 16

基因组

人体的全套遗传信息就是人类基因组。它存在于细胞核中的 46 个双螺旋 DNA 之中，在分子水平上每个双螺旋 DNA 都很长，在光学显微镜下所能看到的却十分细小。但在细胞准备分裂的时候，每一整条蜿蜒曲折的 DNA 会弯曲、缠绕，形成超螺旋结构和超级超螺旋结构。最终，它会变成更短、更致密、浓缩的 X 形结构，经过恰当的染色，我们就能在显微镜下看到它。这些东西叫作 chromosomes，即"染色体"——不论它们是在准备进行细胞分裂（此处指重复的一对中）时形成浓聚的 X 形状，还是在接受指令后串联盘绕在一起，都可以用这个术语来表示。

基因怎么发挥作用

基因指导机体的发育和运作。但是它们到底做了什么呢？基因就好比一本计划书或者说明书，它是承载信息的 DNA 片段，是构造机体某一个部分的化学密码。这一部分通常只有分子大小。对许多基因而言，这些部分构成了蛋白质，比如给肌肉提供动力的肌动蛋白和肌球蛋白；比如让皮肤变得坚韧的胶原蛋白和角蛋白；比如淀粉酶、脂肪酶和其他的消化酶，以及其他几百种蛋白质。还有另外的基因决定了不同的 RNA 即核糖核酸的结构。核糖核酸积极参与细胞活动的组织和运行——包括控制它的基因。

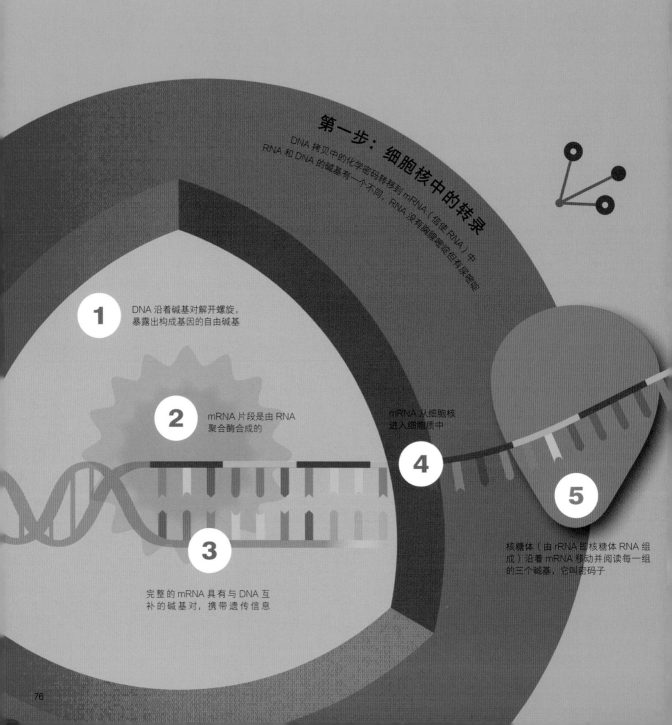

第一步：细胞核中的转录

DNA 拷贝中的化学密码转移到 mRNA（信使 RNA）中
RNA 和 DNA 的碱基有一个不同，RNA 没有胸腺嘧啶但有尿嘧啶

1 DNA 沿着碱基对解开螺旋，暴露出构成基因的自由碱基

2 mRNA 片段是由 RNA 聚合酶合成的

3 完整的 mRNA 具有与 DNA 互补的碱基对，携带遗传信息

4 mRNA 从细胞核进入细胞质中

5 核糖体（由 rRNA 即核糖体 RNA 组成）沿着 mRNA 移动并阅读每一组的三个碱基，它叫密码子

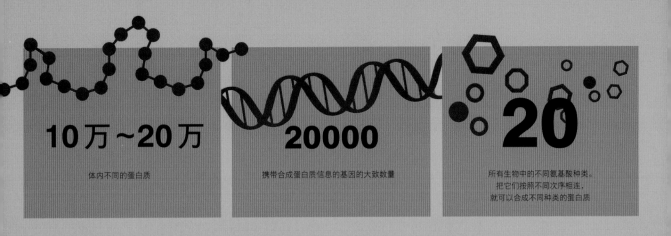

10万～20万

体内不同的蛋白质

20000

携带合成蛋白质信息的基因的大致数量

20

所有生物中的不同氨基酸种类。
把它们按照不同次序相连，
就可以合成不同种类的蛋白质

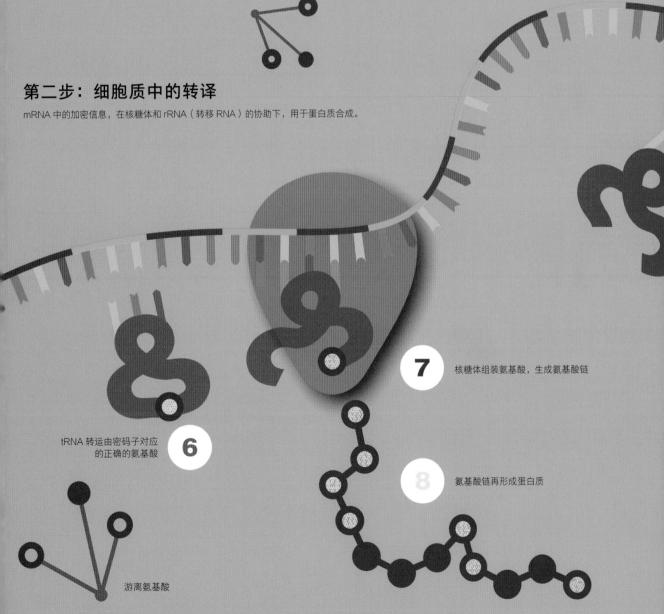

第二步：细胞质中的转译

mRNA 中的加密信息，在核糖体和 rRNA（转移 RNA）的协助下，用于蛋白质合成。

7 核糖体组装氨基酸，生成氨基酸链

6 tRNA 转运由密码子对应
的正确的氨基酸

8 氨基酸链再形成蛋白质

游离氨基酸

基因如何发挥特殊作用

每个细胞都有一套完整的基因——那么不同细胞是怎么表现出它们不同的外观和功能的呢？答案就是：并不是所有的基因都发挥作用或处于开放状态。通常来说，必需的"管家"基因发挥基本功能，如构造细胞器以及处理能量和废物。但大多数其他基因则处于关闭状态或受到抑制——除了那些用于细胞特定功能的基因外。比如说，红细胞让自己的"管家"基因不停地工作，同时让那些制造携氧血红蛋白的基因也工作，而其他大部分基因的功能则被抑制了。

步骤 1：遗传信息

11 号染色体
血红蛋白 β 亚基基因，HBB。
位于 11p15.5（11 号染色体，短臂或 p 臂，1 区 5 带 5 亚带）。

16 号染色体
血红蛋白的 α 亚基基因 1，HBA1。
血红蛋白的 α 亚基基因 2，HBA2。
位于 16p13.3（16 号染色体，短臂或 p 臂，1 区 3 带 3 亚带）

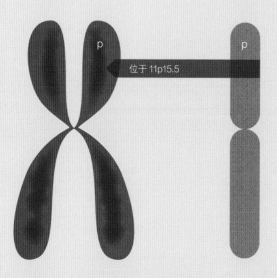

位于 11p15.5

位于 16p13.3

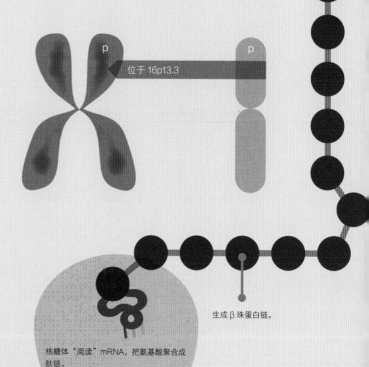

生成 β 珠蛋白链。

步骤 2：合成蛋白质亚基

以 HBB 为模板组装生成 mRNA

核糖体"阅读"mRNA，把氨基酸聚合成肽链。

11 号染色体

DNA 解链暴露出 HBB 基因

步骤 3：合成血红蛋白分子

一级结构
一个 β 珠蛋白链有 146 条氨基酸链。

二级结构
由于氨基酸之间键的角度，氨基酸链有弯曲和折叠，形成 α 螺旋。

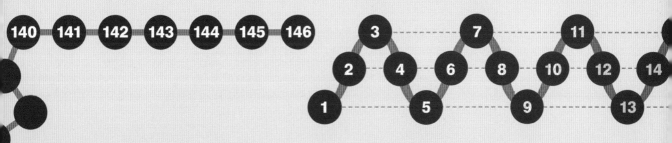

三级结构
氨基酸长链（多肽）通过折叠、盘曲和成层，形成 β 珠蛋白的三维形状。

四级结构
α 亚基、β 亚基和其他亚基组装成完整的、能正常工作的血红蛋白。

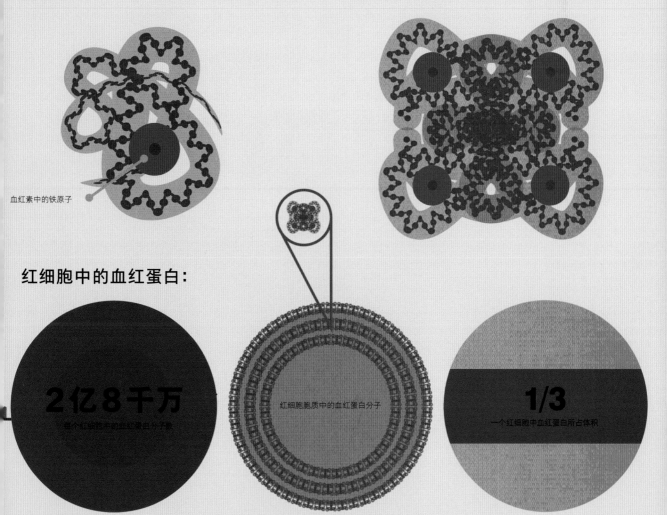

血红素中的铁原子

红细胞中的血红蛋白：

2亿8千万
每个红细胞中的血红素蛋白分子数

红细胞胞质中的血红蛋白分子

1/3
一个红细胞中血红蛋白所占体积

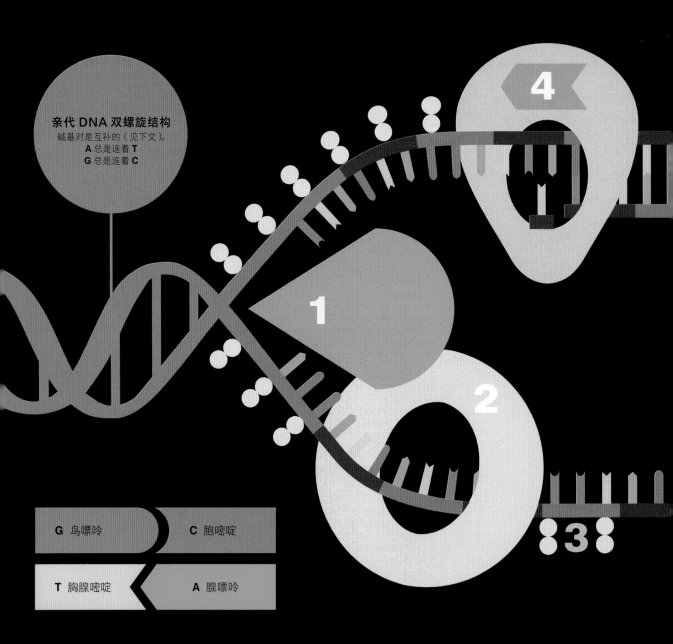

亲代 DNA 双螺旋结构
碱基对是互补的（见下文）。
A 总是连着 **T**
G 总是连着 **C**

4

1

2

G 鸟嘌呤　　**C** 胞嘧啶

T 胸腺嘧啶　　**A** 腺嘌呤

3

DNA 变成两倍

没有细胞能一直活着。它们会分裂生成子代细胞，下一页中有说明。这里的关键是基因的拷贝或复制，基因就是指由 DNA（脱氧核糖核酸）所组成的染色体。这样，每个子代细胞就能获得亲代细胞的全套基因，并继续发挥其作用。从人体第一个单细胞即受精卵中的第一组 DNA，到每天细胞通过分裂来更新皮肤、血液和其他部位中老化了的细胞，DNA 的复制几乎可以说是人体内每一过程和每一事件的基础。

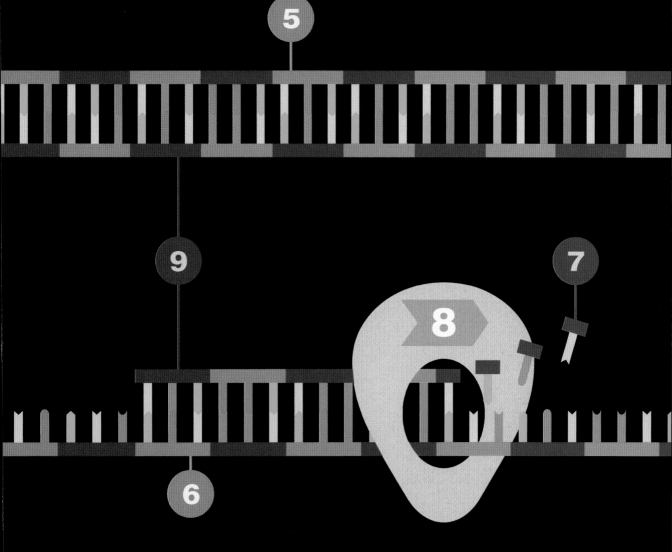

1：解螺旋酶
对于两条现有 DNA 或亲代 DNA，能解开并分离即"解压"它们碱基对的连接的酶。

2：引物酶和 RNA 引物
引物酶生成 RNA 引物，是生成新的互补的片段或子代 DNA 链的起点。

3：结合蛋白
保护暴露的碱基，防止它们重新连接、分离或变性。

4：DNA 聚合酶
"阅读"现有碱基的酶，并"剪接"新的碱基、糖和磷酸，形成新的互补链。

5：前导链
DNA 聚合酶沿着现有的 DNA 链不断移动，形成的延长的新链。

6：后随链
因为 DNA 聚合酶沿着 DNA 骨架只朝着一个方向工作，所以在这条链上，合成新片段的方向就像一步一步地"向后"走。

7：冈崎片段
现有的 DNA 后随链上新生成的短的 DNA 片段，DNA 连接酶会把它们连接起来。

8：DNA 聚合酶和 DNA 连接酶
在现有的后随链上，把冈崎片段"缝合"在一起，形成一条长的互补片段。

9：子代 DNA
是两个相同的双螺旋结构，每个都含有一条亲代 DNA 链和一条新的互补的 DNA 配对链。

细胞怎么分裂

细胞不会从非生物中自动出现。（除了生物学家推断的，三十亿年前细胞发生的第一次演变）相反的是，每个细胞都是由一个先前存在的细胞通过细胞分裂产生的——有时候这个过程称作细胞增殖，有点让人混淆。这几乎总是由一个细胞变为两个，由原先的亲代细胞变为两个子代细胞或姐妹细胞。这个分裂过程的关键是细胞核的分离，叫作有丝分裂。在有丝分裂之前，全部的遗传物质即 DNA 会被复制，那么每个子代细胞就能得到一整套的遗传物质。（细胞分裂生成性细胞即卵子和精子的过程略有不同——见第 180 页。）

分裂间期
染色体中的 DNA 的分散开和缠绕在一起，基因被激活，以及 DNA 的复制。

分裂前期
每条染色体的 DNA 卷成一团并被"压缩"，能被看见，核膜解体，中心体和微管形成纺锤体。

分裂中期
微管连接到染色体上。
染色体在排列细胞中心或赤道板上。

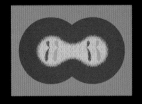

分裂后期
成对的重复的染色体分离，由微管将其拉到细胞的两端。

分裂末期
在每个姐妹细胞中，染色体到达它们各自的位置。
在每个姐妹细胞中，核膜又重新形成。

细胞分裂

数字表示一个细胞在每个阶段的时间
占整个生命周期的平均百分比（%）。

80

10

4

1

3-7

胞质分裂

整个亲代细胞分裂成
两个姐妹细胞。分裂的
时间总有差异，但可能在
有丝分裂的早期开始。形成一
的收缩环将在细胞，中间
条分裂沟。两个姐妹细胞最终
形成两个独立的单位。

细胞的生命

人体有 200 多种细胞，每一种细胞都有各自预先设定好的生存时间，直到被该组织的快速增殖干细胞产生的同类细胞所替代。一般来说，严重的物理磨损或化学暴露意味着更快的细胞转换率。存活时间最长的细胞位于大脑深处——神经元，它让我们能够去思考、感受和记忆。细胞的数量庞大，大致算一下，把人体每一秒钟更新的细胞首尾相连，这个长度就要超过一千米了。

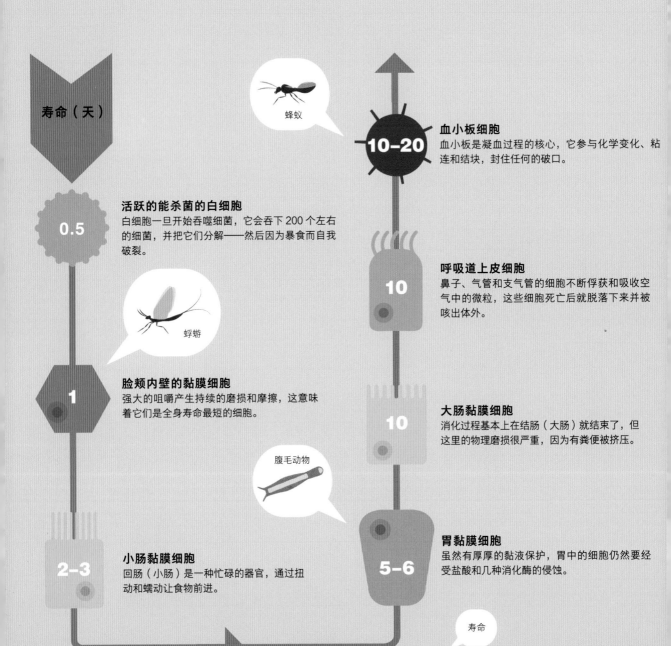

寿命（天）

蜂蚁

10–20 血小板细胞
血小板是凝血过程的核心，它参与化学变化、粘连和结块，封住任何的破口。

0.5 活跃的能杀菌的白细胞
白细胞一旦开始吞噬细菌，它会吞下 200 个左右的细菌，并把它们分解——然后因为暴食而自我破裂。

蜉蝣

10 呼吸道上皮细胞
鼻子、气管和支气管的细胞不断俘获和吸收空气中的微粒，这些细胞死亡后就脱落下来并被咳出体外。

1 脸颊内壁的黏膜细胞
强大的咀嚼产生持续的磨损和摩擦，这意味着它们是全身寿命最短的细胞。

10 大肠黏膜细胞
消化过程基本上在结肠（大肠）就结束了，但这里的物理磨损很严重，因为有粪便被挤压。

腹毛动物

2–3 小肠黏膜细胞
回肠（小肠）是一种忙碌的器官，通过扭动和蠕动让食物前进。

5–6 胃黏膜细胞
虽然有厚厚的黏液保护，胃中的细胞仍然要经受盐酸和几种消化酶的侵蚀。

寿命

10-20

视网膜细胞，眼部
感光细胞即视杆细胞和视锥细胞，它们的平均寿命意味着娇嫩的眼睛中细胞持续而缓慢的周转率。

30000
（80年）

大脑的神经元
它们的构造极其复杂，含有成千上万的突触（连接），这些意味着大脑神经元的寿命几乎可以持续人的一生。

20-30

表皮（外部皮肤）细胞
物理磨损、摩擦和轻微的伤害，意味着皮肤的整个外层即表皮每月至少要自我更新一次。

22000
（60年）

记忆性白细胞
感染之后，少数一些记忆性 T 细胞和 B 细胞会在体内循环数年乃至数十年，时刻准备着再次采取行动、对抗同样的疾病。

非洲象

马

120

红细胞
骨髓每一秒产生 200 多万的红细胞，因为回收了与此数目相当的矿物质，特别是由脾和肝回收而来的。

10000
（25年）

维持骨质的细胞
骨细胞具有复杂的形状，像一个有 100 多条"腿"的立体蜘蛛。它们保持骨中矿物质的充盈和不断更新。

150

肝脏细胞
肝脏的细胞叫肝细胞，是多任务执行者，能处理各种矿物质和营养素，还可以储存维生素。

5500
（15年）

骨骼肌细胞
肌细胞是大的"多细胞体"，由许多小的细胞融合成为一个单元，直径可达一毫米。

老鼠

350
（1年）

胰腺细胞
某些胰腺细胞能分泌胰岛素和糖原，其他细胞则可以产生小肠消化所需的消化酶。

500
（16个月）

肺黏膜细胞
小气囊和肺泡以缓慢的速度积累着灰尘和其他杂物，所以它们每年要更新一两次。

基因如何相互作用

人类基因组中含有 46 条染色体或 DNA，即为 23 对。也就是说，有两条 1 号染色体、两条 2 号染色体，等等。这是否意味着，对于每个基因的两个相同拷贝，它们中的任意一个在这两条染色体上都有呢？就像大多数遗传学的问答那样，答案包括是、不是和可能。在某些人当中，对于一个特定的基因而言，这两种版本的等位基因是相同的。在其他人中，这两个等位基因则不一样。一个基因更加强大，占主导地位，它"击败"了弱者即隐性基因。有一个例子就是恒河猴的血液基因，RH 基因。其等位基因包括 RH 阳性、RH+、和 RH 阴性、RH-。噢对了，还有特别特别多的其他基因（见右侧）。

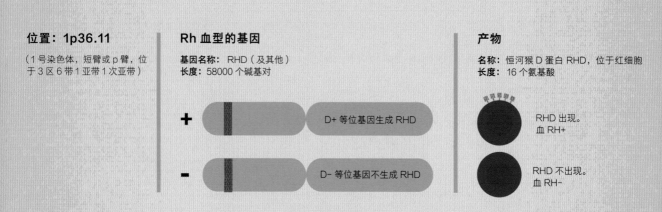

位置：1p36.11

（1 号染色体，短臂或 p 臂，位于 3 区 6 带 1 亚带 1 次亚带）

Rh 血型的基因

基因名称： RHD（及其他）
长度： 58000 个碱基对

+ D+ 等位基因生成 RHD

− D− 等位基因不生成 RHD

产物

名称： 恒河猴 D 蛋白 RHD，位于红细胞
长度： 16 个氨基酸

RHD 出现。
血 RH+

RHD 不出现。
血 RH−

三种可能性

RHD 基因的三种可能组合取决于两条 1 号染色体上的等位基因。一个来自母亲，另一个来自父亲。D+ 是占优势的基因，呈显性，D− 是较弱的基因，呈隐性。

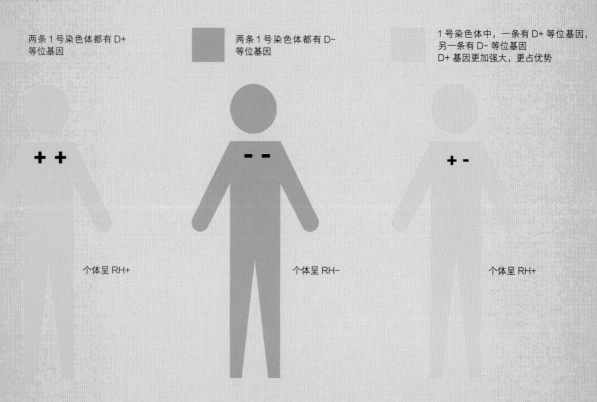

两条 1 号染色体都有 D+ 等位基因

两条 1 号染色体都有 D− 等位基因

1 号染色体中，一条有 D+ 等位基因，另一条有 D− 等位基因
D+ 基因更加强大，更占优势

个体呈 RH+

个体呈 RH−

个体呈 RH+

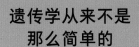

遗传学从来不是那么简单的

此处对恒河猴血型的阐述是非常精简的。

RHD 基因的等位基因不止两个，而是有超过 50 个。

这就意味着会有很多 RHD 蛋白，如弱 D、部分 D、Del 和其他的蛋白。

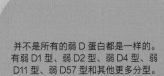

并不是所有的弱 D 蛋白都是一样的。有弱 D1 型、弱 D2 型、弱 D4 型、弱 D11 型、弱 D57 型和其他更多分型。

除此之外，RHD 只是"恒河家族"几种基因中的一种。

其他基因包括 RHCE、RHAG、RHBG 和 RHCG，有些基因位于不同的染色体上。

记住，恒河猴血型只是一种血型系统。其他还有 9 号染色体上的 ABO 血型系统、4 号染色体上的 MNS 血型系统、L（Lewis）血型系统、K（Kell）血型系统——总计超过 30 种。

这些基因会产生其他多种蛋白质，如常 C、E、c 和 e。

这些内容只是让你粗略地了解一下为什么遗传学会这么复杂。

通过遗传获得的基因

基因是直接从我们父母那里通过遗传而获得的。我们之前提到，人体内每一个细胞有两套完整的基因，形成第 1 到第 23 对染色体。这是细胞从最初的两套染色体开始、通过细胞分裂进行的多次复制、复制、再复制的结果。最初的这两套染色体，一套来自母亲的卵细胞（见第 182 页），另一套来自父亲的精细胞。让我们来看一看，某一基因的不同版本的等位基因，是怎么通过不同的组合产生不同结果的——先从微笑开始看起！

酒窝

脸颊上的这些小窝或凹陷可能是由酒窝基因的一个优势等位基因引起的结果，我们把它称为 +。没有酒窝的是隐性基因，−。要记住，母亲的两个酒窝基因中只有一个可以进入卵子，同样地，每个精子中也只有父亲的一个酒窝基因。这两个基因怎么组合，就全凭运气了。

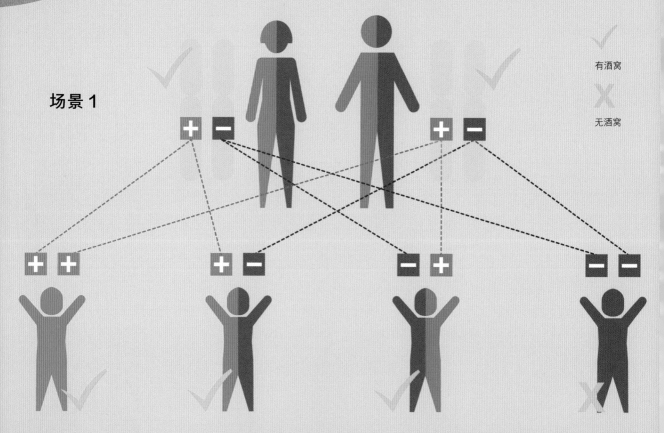

场景 1

有酒窝

无酒窝

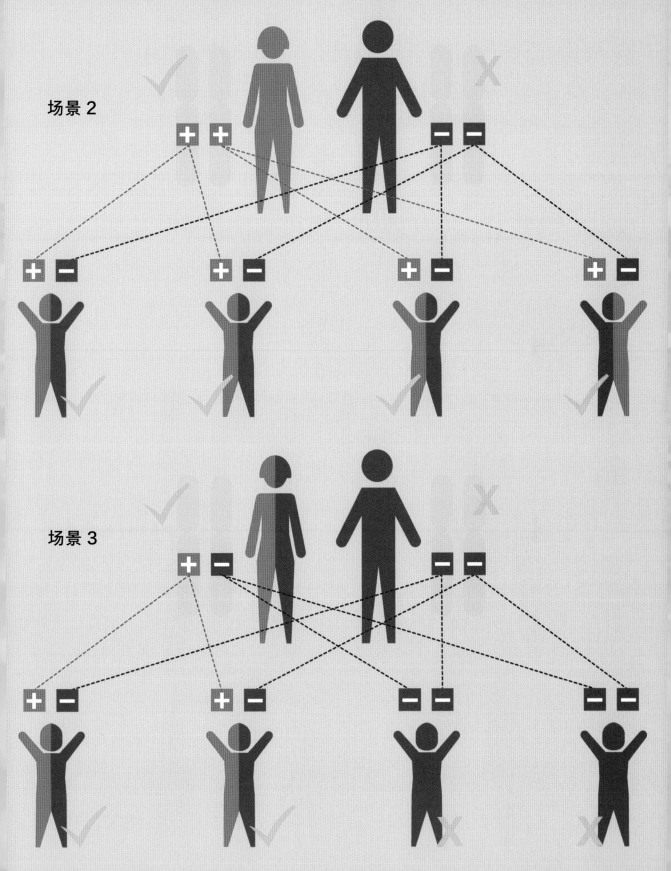

遗传学夏娃

细胞中，每个有"电源箱"之称的线粒体都有短的 DNA 片段，称为 mDNA 或 mtDNA（线粒体 DNA）。受精过程中，当一个精子进入卵子时，它并没有贡献出线粒体。所以人体的全部线粒体 DNA 纯粹是来自母亲。根据对线粒体 DNA 改变或突变的研究，我们人类——智人——理论上可以追溯到 20 万年前来自非洲的女性"遗传学夏娃"（线粒体夏娃）。

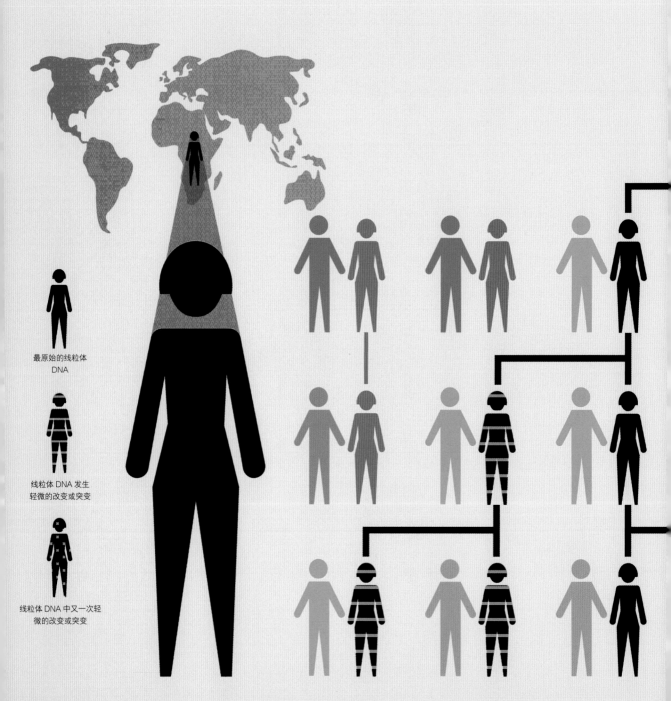

最原始的线粒体
DNA

线粒体 DNA 发生
轻微的改变或突变

线粒体 DNA 中又一次轻
微的改变或突变

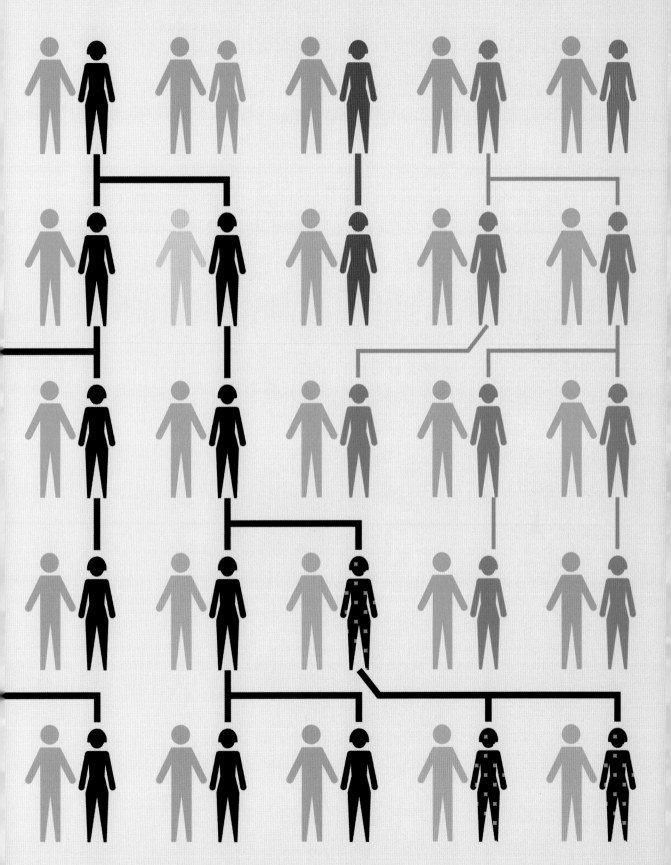

与感觉有关的身体
SENSITIVE BODY

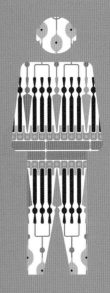

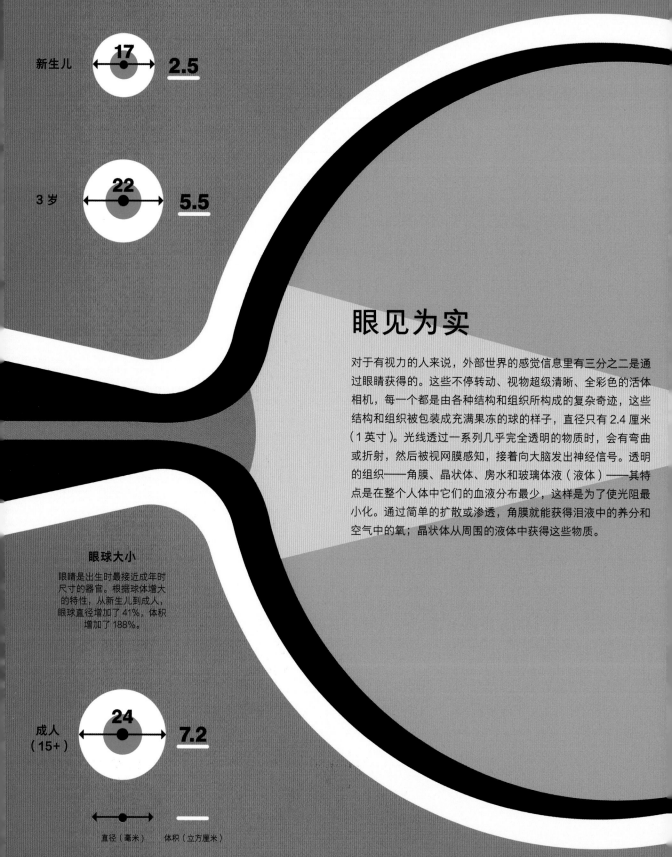

新生儿 17 **2.5**

3 岁 22 **5.5**

眼见为实

对于有视力的人来说，外部世界的感觉信息里有三分之二是通过眼睛获得的。这些不停转动、视物超级清晰、全彩色的活体相机，每一个都是由各种结构和组织所构成的复杂奇迹，这些结构和组织被包装成充满果冻的球的样子，直径只有2.4厘米（1英寸）。光线透过一系列几乎完全透明的物质时，会有弯曲或折射，然后被视网膜感知，接着向大脑发出神经信号。透明的组织——角膜、晶状体、房水和玻璃体液（液体）——其特点是在整个人体中它们的血液分布最少，这样是为了使光阻最小化。通过简单的扩散或渗透，角膜就能获得泪液中的养分和空气中的氧；晶状体从周围的液体中获得这些物质。

眼球大小

眼睛是出生时最接近成年时尺寸的器官。根据球体增大的特性，从新生儿到成人，眼球直径增加了41%，体积增加了188%。

成人
（15+） 24 **7.2**

直径（毫米） 体积（立方厘米）

94

玻璃体

虹膜

厚度 ▼（毫米）

0.25 结膜
敏感的眼睛覆盖物，经常用泪液和眨眼冲洗眼睛

0.35 视网膜
眼内的感光层

0.5 眼角膜
眼部前方干净的、半球形的门户

一个 30 米远的物体的光线进入眼睛的时间

0.000001
（一秒钟的一百万分之一的十分之一）

1-1.5 房水
在角膜和晶状体之间的液体，在虹膜的两侧

4 晶状体
有弹性，可以调整光线并让它聚焦

 ② ④ ⑧ 瞳孔
虹膜中心的孔（直径）

  光线越黯淡，瞳孔开得越大

视网膜内部

通过一个面积不超过一个拇指指甲大小的区域，我们就能感知到这个世界上多彩、深入、不断移动的景象。视网膜中全部都是视锥细胞和视杆细胞，它们发出神经纤维，有一层神经细胞会获取这些纤维中的网状交织的信息，另外有三层神经细胞会对这些信息进一步处理，并且还有一张分支血管网为所有的这些活动提供氧气和营养。这里存在一个显而易见的阻碍，那就是视锥细胞和视杆细胞几乎都位于视网膜的基底部。所以，光线必须通过其他结构，才能到达视网膜基底部，这样就会形成很多关卡和阴影。这可以看成是一个"设计失误"，但是处理信息的神经细胞层和大脑本身能迅速改变，变得善于推断那里可能有的东西从而填补视觉空白。

眼睛和电视屏幕

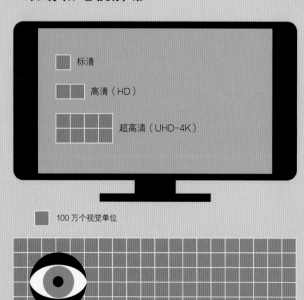

神经纤维

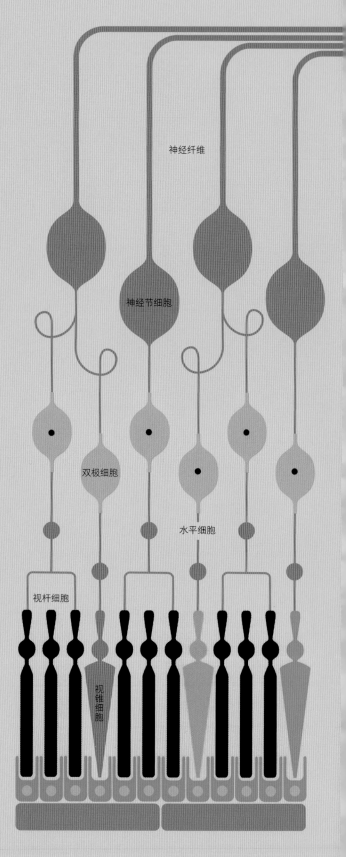

神经节细胞

双极细胞

水平细胞

视杆细胞

视锥细胞

找到你的盲点！

每个人都有盲点，它是一个位于视网膜背面的点，约100万个神经节细胞的神经纤维聚集在此，离开视网膜加入视神经。
这里没有视杆细胞和视锥细胞，所以它相当于"盲点"。

闭上你的右眼，用你的左眼看着十字。
当你看十字的时候，把这一页纸向前、
向后移动，直到眼睛看不见它为止。

用同样的方法尝试着看
这幅图。当十字消失时，
黑色的线会发生什么变
化呢？

当眼睛被颜色围绕着的
时候会发生什么变化？

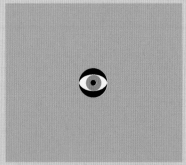

当眼睛被点围绕着的时
候会发生什么变化？

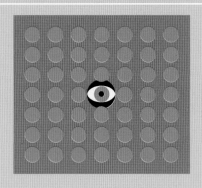

从眼睛到大脑

眼睛所看到的只是大脑所看到的一部分。我们生活在过去，因为从视网膜上的视杆细胞和视锥细胞对光线做出反应，直到大脑感知到它们通过神经信号所呈现的图像，这两步之间的时间大约有 50 至 100 毫秒（0.05 至 0.1 秒）。这种延迟的部分原因是，信号穿过视网膜的网格状的细胞，沿着视神经前行，通过大脑的视交叉（交换）和神经通路，到达脑后下方的主要视觉中枢，然后被"共享"到不同的附属中枢，每一部分检查各自的视觉景象。根据所有的这些信息，大脑构建自己的虚拟现实景象，快速地前后回顾、分析和推测、协调和关联，一直忙个不停，在时间上却总是稍有滞后。

视野

左右运动（侧向运动）

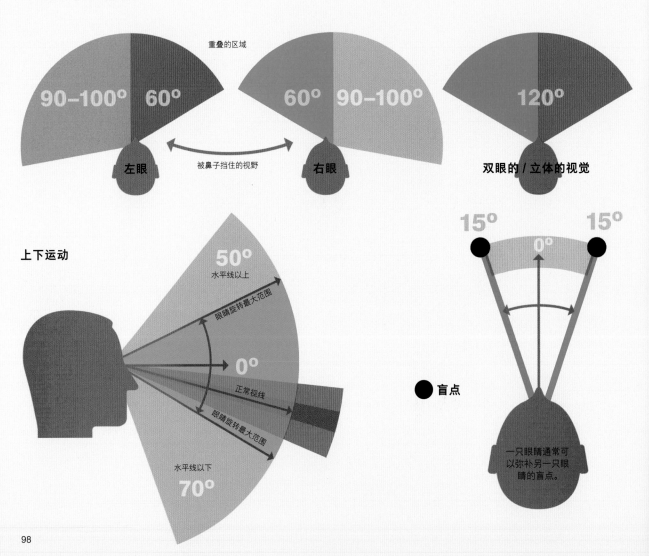

重叠的区域

90–100° 60°

左眼

被鼻子挡住的视野

60° 90–100°

右眼

120°

双眼的 / 立体的视觉

上下运动

50°
水平线以上

眼睛旋转最大范围

0°
正常视线

眼睛旋转最大范围

水平线以下
70°

15° 0° 15°

●盲点

一只眼睛通常可以弥补另一只眼睛的盲点。

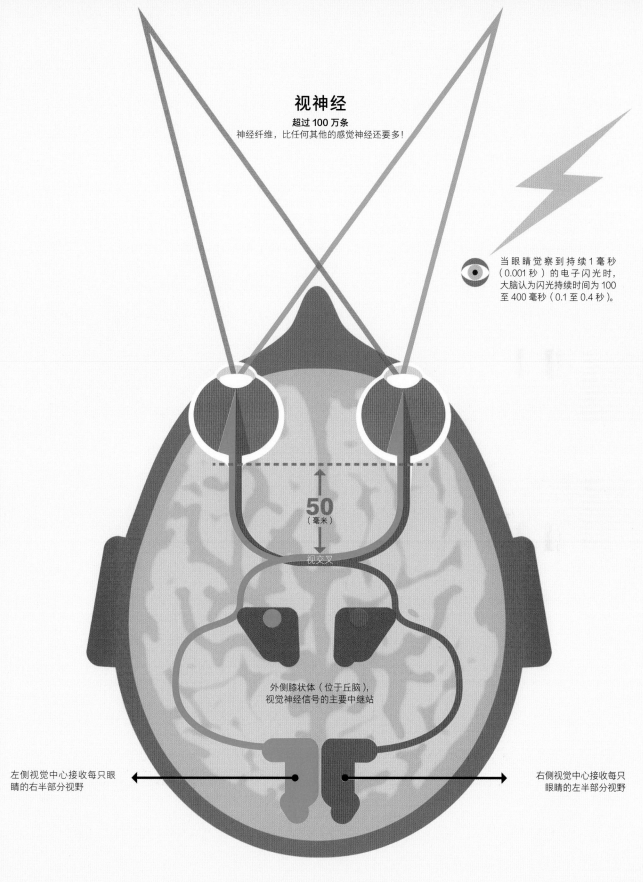

视神经

超过 100 万条

神经纤维，比任何其他的感觉神经还要多！

当眼睛觉察到持续 1 毫秒（0.001 秒）的电子闪光时，大脑认为闪光持续时间为 100 至 400 毫秒（0.1 至 0.4 秒）。

50
（毫米）

视交叉

外侧膝状体（位于丘脑），
视觉神经信号的主要中继站

左侧视觉中心接收每只眼睛的右半部分视野

右侧视觉中心接收每只眼睛的左半部分视野

听觉

世界充满了声音，这是通过一个只有 10 毫米高的小小蜗牛状的人体零件所感知到的。它位于内耳深处，却能轻易地停在一片小小的指甲上。耳蜗通过鼓膜和听骨接收来自空气的振动，并把它们转换成神经电信号。它的关键组成部分是一排内毛细胞，约有 3500 个，沿着一片柔韧的薄膜即基底膜排列，在耳蜗内蜿蜒前行。当基底膜振动时，这些细胞顶端的纤毛——被嵌入在一个果冻状的"屋顶"上面——会弯曲扭动。这些超细微的运动让毛细胞产生神经信号，一路沿着神经到大脑听觉中枢不断放大。

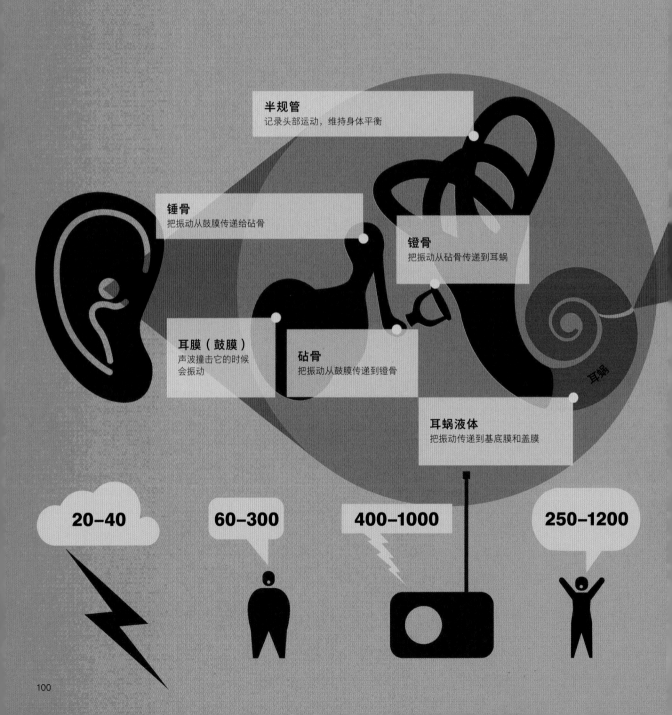

半规管
记录头部运动，维持身体平衡

锤骨
把振动从鼓膜传递给砧骨

镫骨
把振动从砧骨传递到耳蜗

耳膜（鼓膜）
声波撞击它的时候会振动

砧骨
把振动从鼓膜传递到镫骨

耳蜗

耳蜗液体
把振动传递到基底膜和盖膜

20–40

60–300

400–1000

250–1200

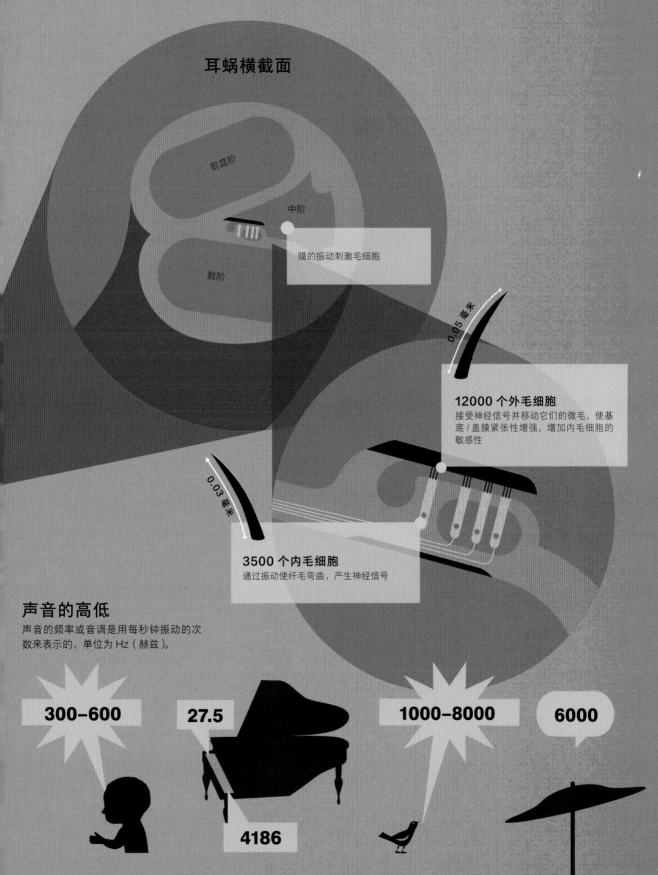

耳蜗横截面

前庭阶

中阶

鼓阶

膜的振动刺激毛细胞

0.05 毫米

12000 个外毛细胞
接受神经信号并移动它们的微毛，使基底 / 盖膜紧张性增强，增加内毛细胞的敏感性

0.03 毫米

3500 个内毛细胞
通过振动使纤毛弯曲，产生神经信号

声音的高低
声音的频率或音调是用每秒钟振动的次数来表示的，单位为 Hz（赫兹）。

300-600

27.5

4186

1000-8000

6000

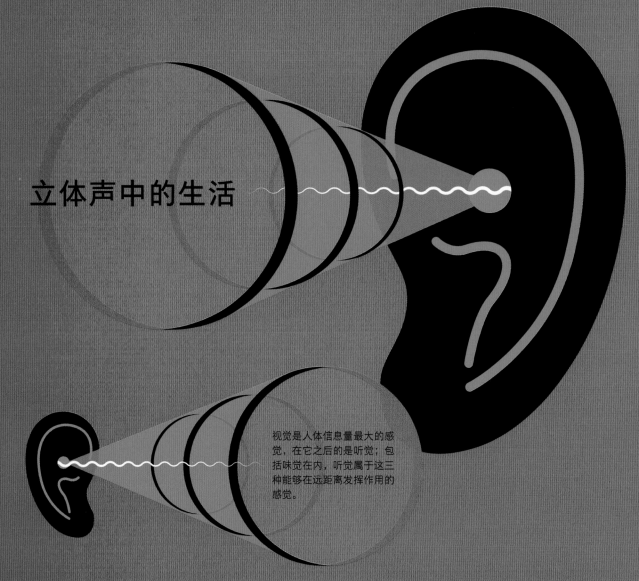

立体声中的生活

视觉是人体信息量最大的感觉，在它之后的是听觉；包括味觉在内，听觉属于这三种能够在远距离发挥作用的感觉。

声音的速度

1 英里

秒 ▶ 1 2 3 4 5

1 千米

340 米

声音的速度比光速慢100万倍，所以耳朵可以通过延迟系统来判断方位和距离。它的判断依据是两耳之间的间隔，这是指从一个侧面来的声音如音乐，达到较近耳朵的时间比到达较远耳朵的时间要少0.001秒。在较远的耳朵中听起来，这些声音也更加低沉一些。然而脑的听觉中枢几乎在一瞬间就能感知到这一切。然后，脑指示颈部肌肉把头转向那一边，去……面对着音乐传来的方向。

音乐由低音区域不断变化而成高音区

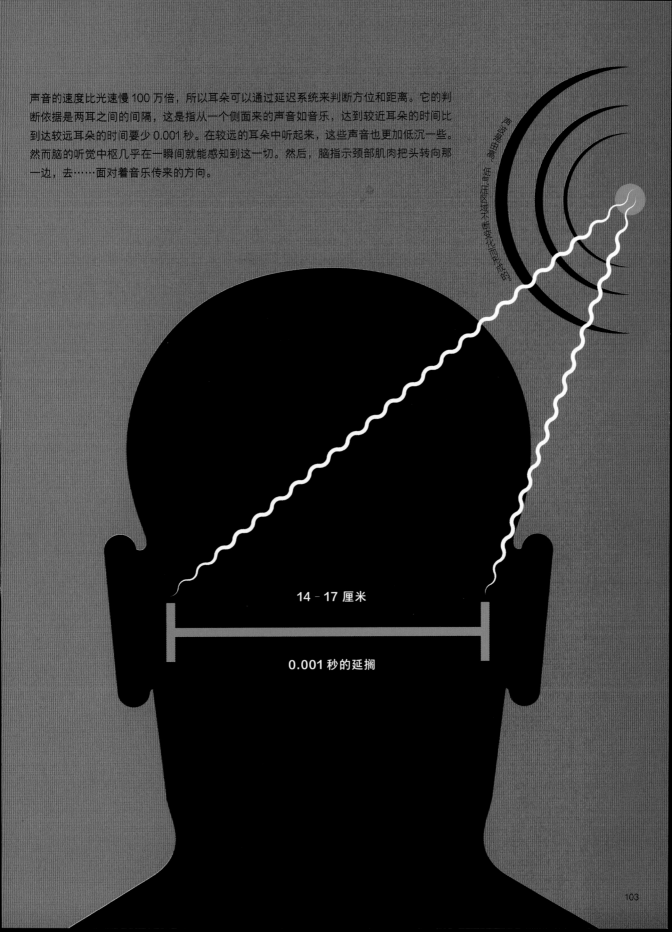

14-17 厘米

0.001 秒的延搁

越来越响

声音的强度用分贝（dB）来表示，它不是按照相等的数量差逐步增加，而是以 10 的指数级规模增长。就是说，20dB 的声音的强度是 10dB 声音的 10 倍（而非两倍），30dB 的声音的强度是 10dB 声音的 100 倍（而非三倍），然后以此类推。

170

很可能造成听力损伤

140

在 30 米远处的喷气式飞机的发动机声音

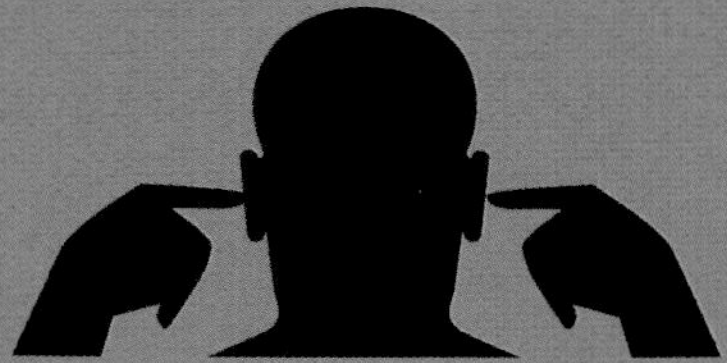

120

可能出现耳痛

110

喧闹的音乐会，附近的雷声

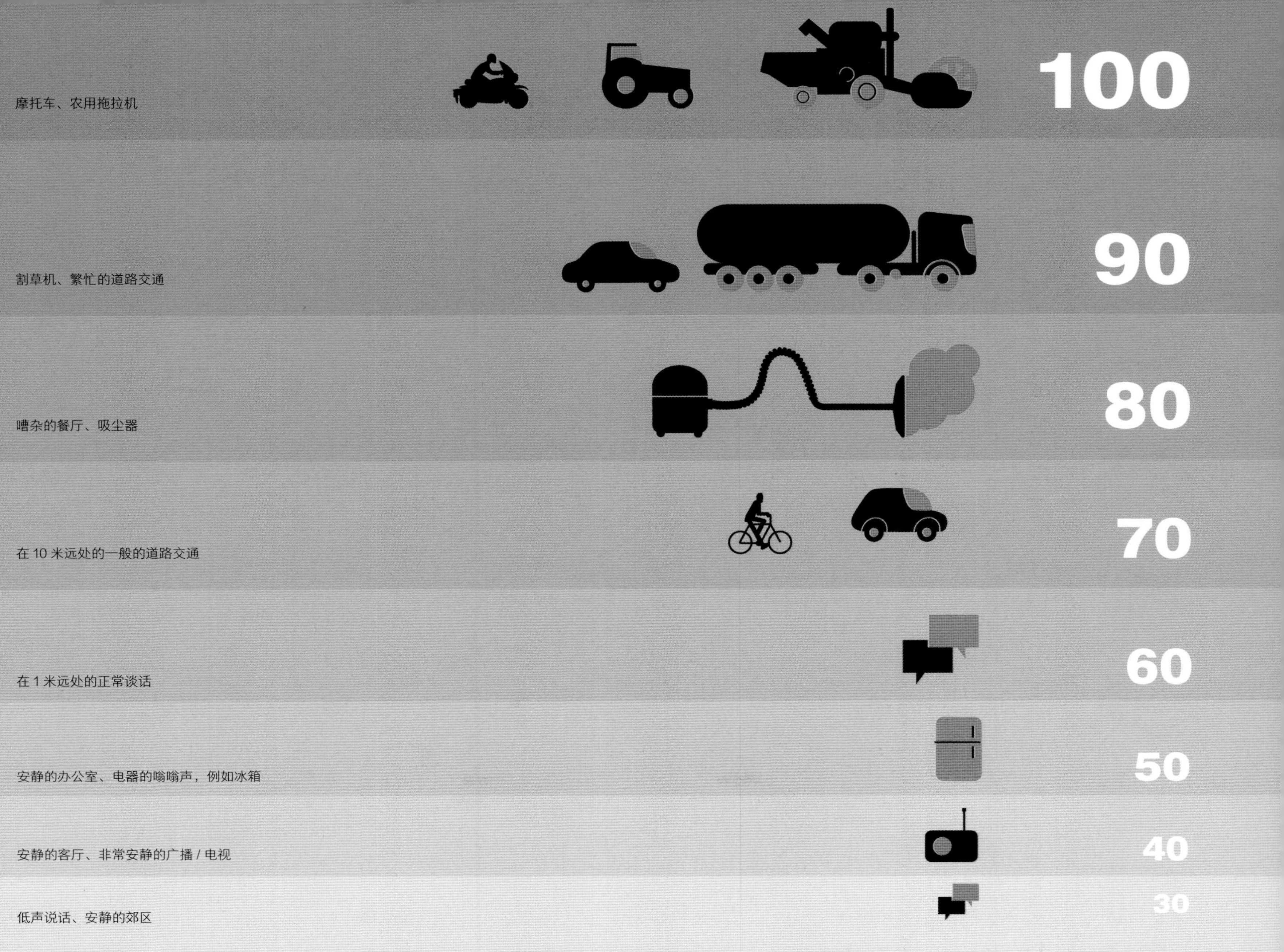

100

90

80

70

60

50

40

30

摩托车、农用拖拉机

割草机、繁忙的道路交通

嘈杂的餐厅、吸尘器

在 10 米远处的一般的道路交通

在 1 米远处的正常谈话

安静的办公室、电器的嗡嗡声，例如冰箱

安静的客厅、非常安静的广播 / 电视

低声说话、安静的郊区

嗅觉

嗅觉是第三大信息量最丰富的非接触式感觉。它所传递的信息包括空气中的可能具有危险的蒸汽和气体，以及关于食品、饮料、植物、动物和与我们人类相关的其他物体的气味——有好的也有坏的。气味会带来强烈的快感，但也会引起剧烈的反应，比如呕吐。相较于其他的感觉，嗅觉和大脑中的记忆和情绪相关的部分有着与生俱来的联系，这就是为什么气味和香气能激发如此强烈的感情。

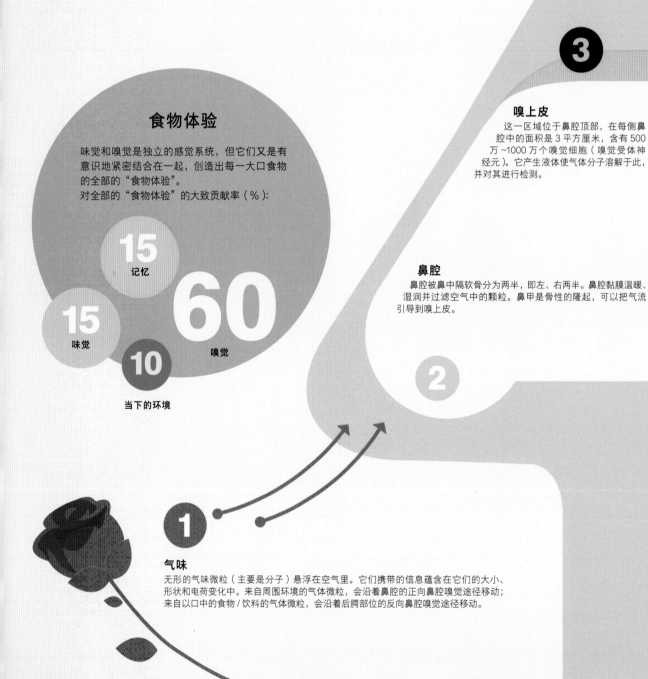

食物体验

味觉和嗅觉是独立的感觉系统，但它们又是有意识地紧密结合在一起，创造出每一大口食物的全部的"食物体验"。
对全部的"食物体验"的大致贡献率（%）:

15 记忆

15 味觉

60 嗅觉

10 当下的环境

❸ 嗅上皮

这一区域位于鼻腔顶部，在每侧鼻腔中的面积是 3 平方厘米，含有 500万 ~1000 万个嗅觉细胞（嗅觉受体神经元）。它产生液体使气体分子溶解于此，并对其进行检测。

鼻腔

鼻腔被鼻中隔软骨分为两半，即左、右两半。鼻腔黏膜温暖、湿润并过滤空气中的颗粒。鼻甲是骨性的隆起，可以把气流引导到嗅上皮。

❷

❶ 气味

无形的气味微粒（主要是分子）悬浮在空气里。它们携带的信息蕴含在它们的大小、形状和电荷变化中。来自周围环境的气体微粒，会沿着鼻腔的正向鼻腔嗅觉途径移动；来自以口中的食物 / 饮料的气体微粒，会沿着后腭部位的反向鼻腔嗅觉途径移动。

5 嗅细胞的神经纤维

神经纤维汇集成 20~30 束。它们穿过筛板，头颅筛骨上的一块孔状区域，把神经信号传递给嗅球。它们（有时与嗅球和嗅束一起）被称为嗅神经，也叫第 I 对颅神经（1）。

6 嗅球

前脑的这一叶片片状延续部分由五个主要的细胞层组成。它对从嗅觉细胞传来的神经信息进行解码、过滤、整合、增强和加工等处理。

嗅觉受体

它们是位于嗅觉细胞外表面的分子，接触到适宜的气体分子后就会被刺激——"锁和钥匙"的机制。嗅觉感受器细胞产生神经信号，这些信号会沿着神经纤维传递到嗅球。

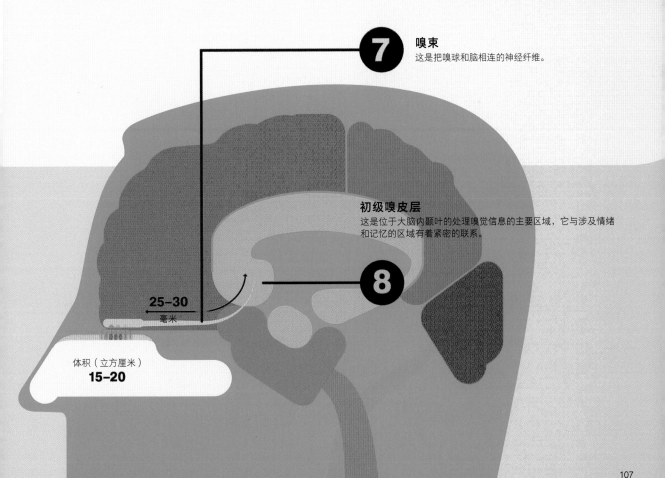

嗅束

这是把嗅球和脑相连的神经纤维。

初级嗅皮层

这是位于大脑内颞叶的处理嗅觉信息的主要区域，它与涉及情绪和记忆的区域有着紧密的联系。

最佳的味道

根据日常经验，味觉和嗅觉形影不离地交织在一起，尤其是在品尝美味的时候。然而，味觉是一个独立的感觉系统——表面所见并不是它本身。从它的主要感受器即味蕾中所获得的神经信号只提供一部分与"味道"相关的信息。非味觉的特性，如热/冷和物理结构——粗糙、光滑、柔软——会极大地增强食物的整体感官印象。研究人员发现，就复杂程度而言，识别味道类似于辨认气味。很多味觉受体在受到多种促味剂（刺激味蕾的一类物质）的刺激后，会以多倍的速率迅速地接收多种神经信号。通过各种解码过程与模式识别方式，大脑就得到了关于味觉信息的结果。祝你好胃口！

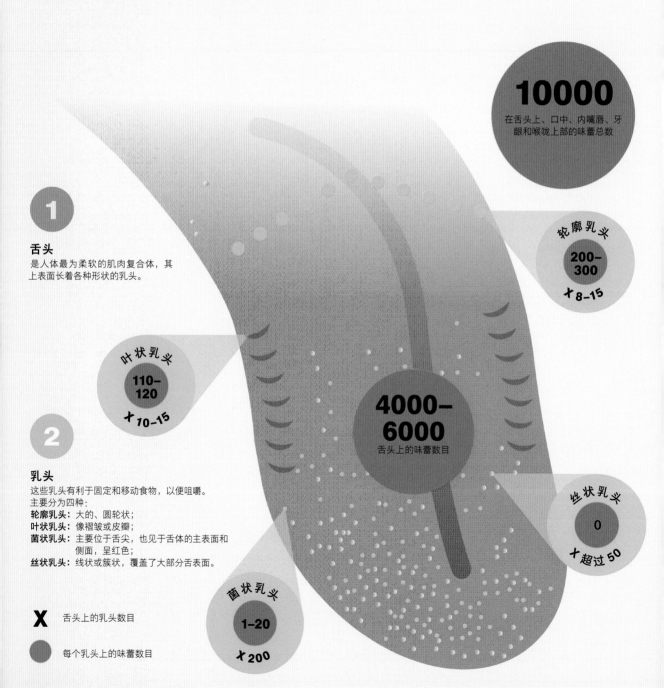

10000
在舌头上、口中、内嘴唇、牙龈和喉咙上部的味蕾总数

1

舌头
是人体最为柔软的肌肉复合体，其上表面长着各种形状的乳头。

轮廓乳头
200–300
X 8–15

叶状乳头
110–120
X 10–15

4000–6000
舌头上的味蕾数目

丝状乳头
0
X 超过 50

2

乳头
这些乳头有利于固定和移动食物，以便咀嚼。
主要分为四种：
轮廓乳头：大的、圆轮状；
叶状乳头：像褶皱或皮瓣；
菌状乳头：主要位于舌尖，也见于舌体的主表面和侧面，呈红色；
丝状乳头：线状或簇状，覆盖了大部分舌表面。

X 舌头上的乳头数目

每个乳头上的味蕾数目

菌状乳头
1–20
X 200

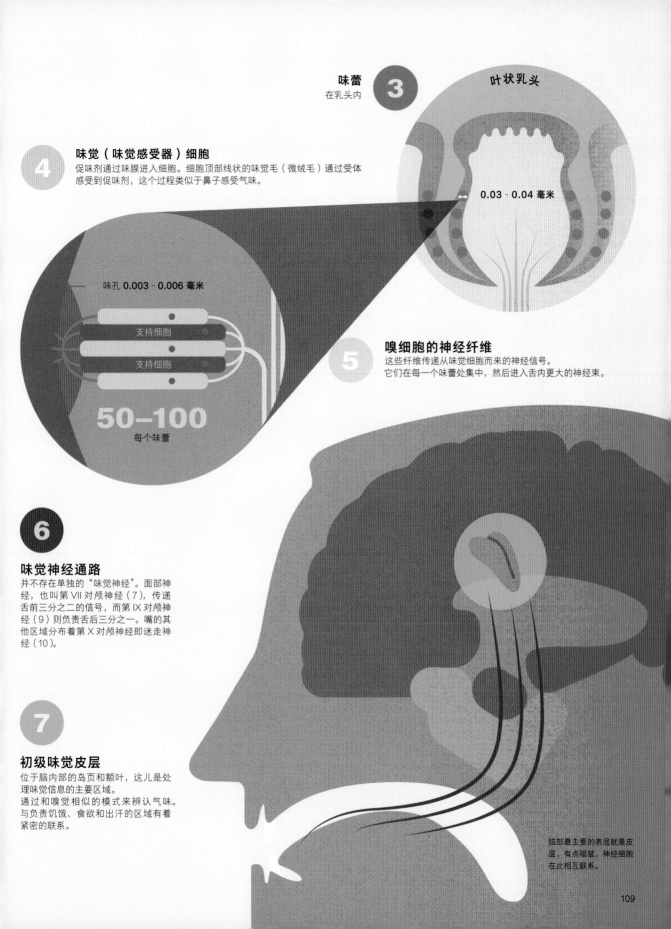

3 味蕾
在乳头内

叶状乳头

0.03 - 0.04 毫米

4 味觉（味觉感受器）细胞
促味剂通过味腺进入细胞。细胞顶部线状的味觉毛（微绒毛）通过受体感受到促味剂，这个过程类似于鼻子感受气味。

味孔 0.003 - 0.006 毫米

支持细胞

支持细胞

50–100
每个味蕾

5 嗅细胞的神经纤维
这些纤维传递从味觉细胞而来的神经信号。
它们在每一个味蕾处集中，然后进入舌内更大的神经束。

6 味觉神经通路
并不存在单独的"味觉神经"。面部神经，也叫第 VII 对颅神经（7），传递舌前三分之二的信号，而第 IX 对颅神经（9）则负责舌后三分之一。嘴的其他区域分布着第 X 对颅神经即迷走神经（10）。

7 初级味觉皮层
位于脑内部的岛页和额叶，这儿是处理味觉信息的主要区域。
通过和嗅觉相似的模式来辨认气味。
与负责饥饿、食欲和出汗的区域有着紧密的联系。

脑部最主要的表层就是皮层，有点褶皱，神经细胞在此相互联系。

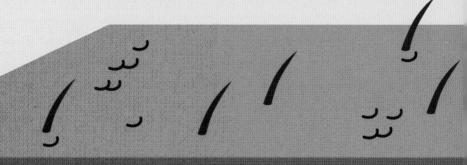

皮肤和表面的感受器

这些感受器是特化的神经末梢，被视为单个的细胞，每一个细胞会发出一条神经纤维。

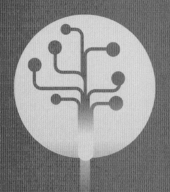

20–100

克劳斯小体

温度变化
特别是冷觉

威廉·克劳斯（德国 1833—1910）

5–20

默克尔细胞

轻触觉，轻压觉，
棱角性特征如边缘

弗雷德里希·默克尔（德国 1845—1919）

100–300

梅氏小体

轻触觉，缓慢的振动，
表面结构

格奥尔格·梅纳斯（德国 1829—1905）

触觉

我们能看到的皮肤表层，实际上是已经死掉的细胞，它们用于承受磨损和保护皮肤，但是，在它们的下方就是数百万的感觉细胞。"触觉"一词过于简单，不能称为一个术语。按照接触的类型可分为粗糙的或光滑的、潮湿的或干燥的、硬的或软的、温热的或凉爽的，以及许多其他的特点。这些是从六种主要感觉细胞的大量神经信号中收集到的。信号经过遍布全身的神经网络到达大脑表层的一个条带区域，即触觉中心（正式的名称叫作躯体感觉皮质），在这里神经信号变成有意识的感觉。

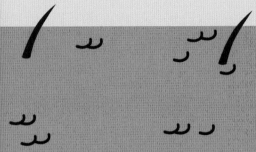

大小的单位为 μm（微米）1 μm = 0.001 mm

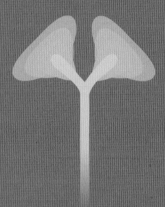

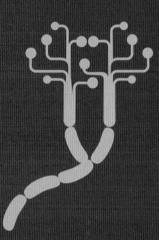

100–500

鲁菲尼小体
缓慢作用且持续存在的压力，
温度变化，特别是变热

安吉洛·鲁菲尼（意大利 1864—1929）

500–1200

帕奇尼小体
快速的振动，
强大的压力

菲利波·帕奇尼（意大利 1812—1883）

游离的神经末梢
各种形式的触觉，
温度变化，疼痛

为什么叫这些名字？
这几种皮肤感受器都是以 19 世纪的解剖学家、生物
学家或类似科学家的名字来命名的，他们在显微镜下
发现了这些感受器，并对它们展开了研究。

内部感觉

不盯着你的胳膊和腿看，你能知道它们在做什么吗？它们是交叉放、盘起来、伸直、弯曲、静止不动还是运动的？意识到身体部位的位置、姿势和运动，称为本体感觉。我们很少会想到这种感觉，但在日常生活的每分每秒中，它所传达的信息却至关重要。本体感觉的输入端是各种微小的感觉器官和神经末梢，这些是机械感受器（对物理力量有反应）。它们在器官和组织中几乎无处不在，特别是肌肉、肌腱和关节内的韧带及节囊。有些感受器与皮肤中的感受器类似，如鲁菲尼小体和帕齐尼小体（见111页）。与皮肤的触觉信息传递过程类似，这些本体感受器把信号沿着神经发送到大脑，这些信号在这儿与其他感觉信息进行整合，让人意识到身体每一个部位的位置和运动情况。

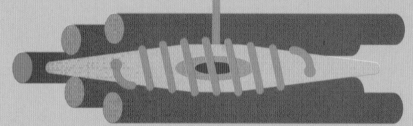

肌梭

一块肌肉的主体是肌腹，含有几十至几百个肌梭。能对长度变化做出反应，感知挤压（压力）和拉伸（张力）。

关节囊本体感受器

位于关节囊，是骨端周围的纤维套管。类似于皮肤中的鲁菲尼感受器和帕齐尼感受器。

0.5–1 毫米

神经腱梭（高尔基腱器官）

位于连接肌肉和骨的肌腱中。
肌肉收缩时应对挤压（张力）变化。

0.1–1 毫米

韧带本体感受器

位于关节里连接骨头的弹性韧带中，
类似于皮肤中的鲁菲尼感受器和帕齐尼感受器。

0.1–1 毫米

本体感觉的测试

试着进行这些测试，来展示一下内部感觉的重要性。

但要注意：

• 首先很快做测试，不要进行太多的准备或思考。

• 然后慢慢地做，把注意力集中到你手臂和手的位置上。

• 随着每次深入的尝试，看看怎么让你的注意力更精准地集中在本体感觉上。

1 把胳膊和手伸直向前举着。

2 闭上眼睛。

3 用左手的拇指和其他手指轮流触摸鼻尖。

4 用右手做相同的动作。

你需要：

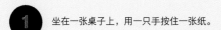

1 坐在一张桌子上，用一只手按住一张纸。

2 闭上眼睛，在你活动期间也要闭着眼睛。

3 你的另一只手拿着铅笔，在纸上画一个 X。

4 把按纸的手和拿笔的手交换一下。

5 在纸上画第二个 X，尽可能接近第一个 X。

6 睁开你的眼睛。

维持平衡

平衡有时被称为神秘的"第六感"。从某种角度而言，平衡确实参与了感觉——实际上是参与了几乎所有主要的感觉过程，以及其他位于耳朵深处的感觉。耳朵里的这些结构统称为前庭系统，以内耳的前庭腔、三个半规管分支、椭圆囊和球囊为基础。它们有极其微小的感受器，叫囊斑和壶腹。毛细胞的纤毛受到物理性刺激后会产生一连串的神经信号，囊斑和壶腹就会把信号沿着相似的路径传递到听觉耳蜗中。但平衡是一个更加广泛并且持续变化的概念。它把眼睛、皮肤和本体感觉的感受器所发出的源源不断的信息，与身体不断发出的控制肌肉（从使眼睛动的肌肉到让腿静止的肌肉）活动的信息相互联系了起来。

内耳

头部运动会产生这种结果：内耳中的液体让位于前庭腔的半规管和囊斑顶部的毛细胞发生弯曲。

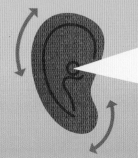

半规管、椭圆囊和球囊：

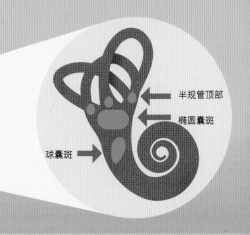

半规管顶部

椭圆囊斑

球囊斑

眼睛

记录水平和垂直方向

本体感受器

压力和张力传感器存在于:

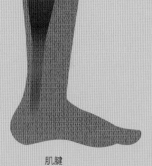

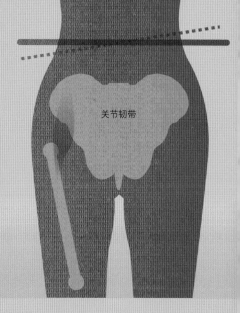

关节韧带

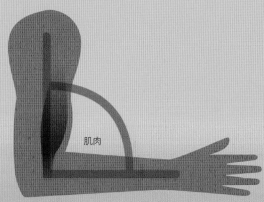

肌腱

肌肉

皮肤

感受压力,比如用手和手臂往前推,或者斜着脚踩在地上

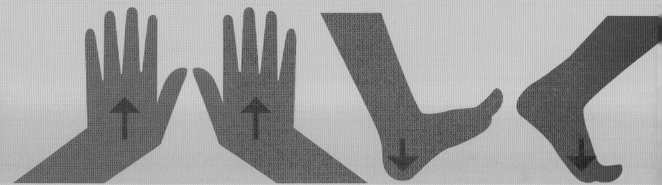

耳朵

感知传来的声音和反射的声音

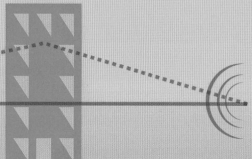

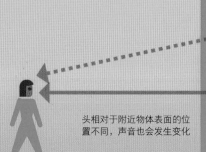

头相对于附近物体表面的位置不同,声音也会发生变化

产生意识

每种主要的感官都会把神经信号发送到大脑皮质上的各自区域，大脑皮质就是脑的薄薄的外表层。但在此过程中，这些神经信号及其蕴含的信息要经历许多处理、解码、分析和共享的步骤。一旦信息传至脑皮质，也会传达给其他负责记忆、识别、命名、联想、情绪、决定和反应的感觉中心，并进行整合。这就是为什么与童年时类似的香味会让人想起很久以前的场景、声音、味道、感觉，甚至回忆起整个场景。松树林、海边的浪花、主题公园的小吃、婴儿吐出的奶……

脑叶

大脑主体部分的脑叶就是大脑半球，自古以来人们就知道这个解剖学分区，以深大的脑裂或脑沟为分界。

额叶	• 有意识的思考 • 自我意识 • 决定 • 性格 • 记忆 • 嗅觉和说话相关的区域 • 规划和控制运动
中央沟	分隔额叶和顶叶
顶叶	• 协调感觉信息 • 立体视觉区 • 各种触觉 • 味觉 • 说话 • 本体感觉
外侧沟（裂）	把额叶、顶叶与颞叶分开
边缘叶	• 情感 • 记忆 • 经历
顶枕沟	分离顶叶和枕叶
枕叶	• 视觉及相关特征 • 感觉协调 • 记忆
颞叶	• 听觉 • 味觉和视觉方面 • 感觉信息的协调 • 说话 • 语言 • 短期和长期记忆

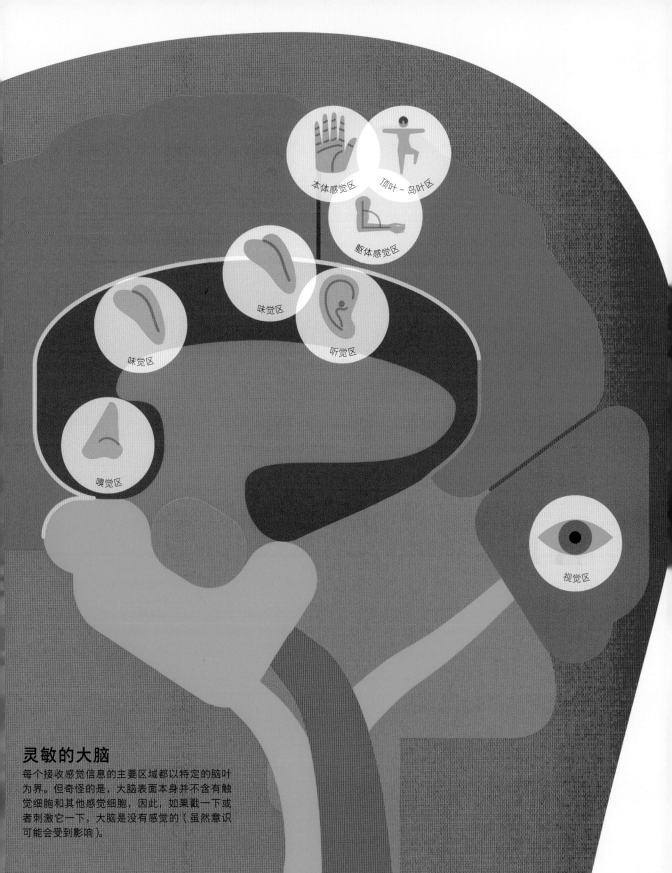

本体感觉区　顶叶 - 岛叶区

躯体感觉区

味觉区

味觉区

听觉区

嗅觉区

视觉区

灵敏的大脑

每个接收感觉信息的主要区域都以特定的脑叶为界。但奇怪的是，大脑表面本身并不含有触觉细胞和其他感觉细胞，因此，如果戳一下或者刺激它一下，大脑是没有感觉的（虽然意识可能会受到影响）。

触觉地图

脑每一侧的躯体感觉皮质（触觉中心）能形成一幅条状的人体地图。越是敏感的部位，如唇和指尖，在皮质所占面积越大。

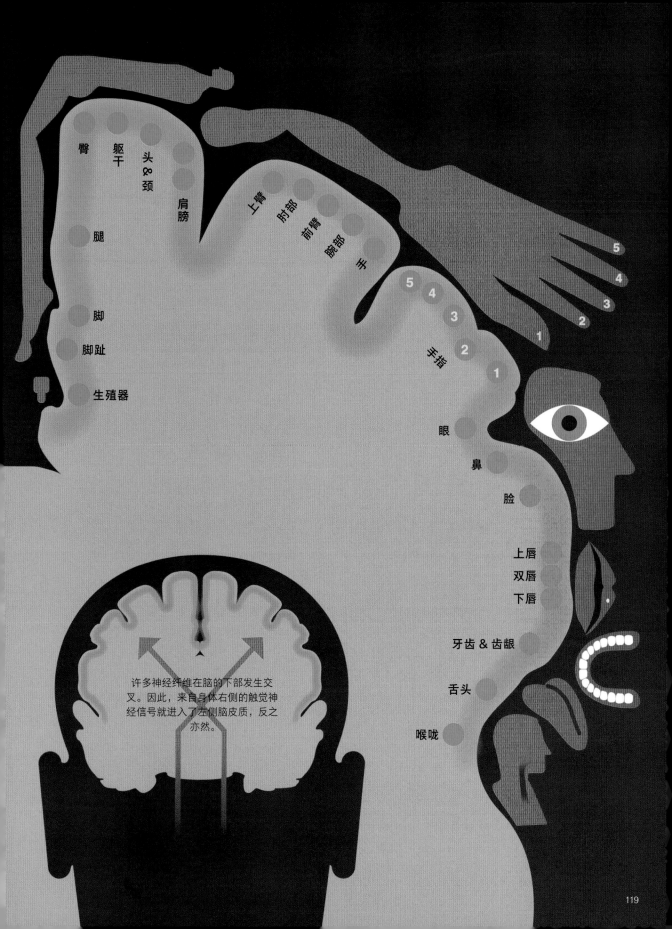

臀

躯干

头&颈

肩膀

腿

脚

脚趾

生殖器

上臂

肘部

前臂

腕部

手

5

4

3

2

1

手指

5

4

3

2

1

眼

鼻

脸

上唇

双唇

下唇

牙齿&齿龈

舌头

喉咙

许多神经纤维在脑的下部发生交叉。因此，来自身体右侧的触觉神经信号就进入了左侧脑皮质，反之亦然。

协调的身体
COORDINATED BODY

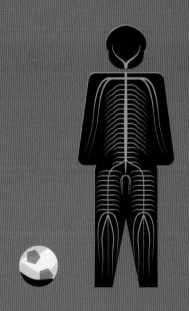

感觉紧张

人体几十亿个细胞、几百个组织和几十个器官一起发挥作用，构成了一个和谐的整体——但这是怎么进行的呢？有两个遍布全身的主要的协调－控制－指挥系统神经系统和激素或内分泌系统。第一个系统主要是通过微小的电信号沿着线条状的神经快速传递前进来发挥作用，第二个系统则以叫作激素的化学物质为基础。大脑是这两个系统的中心。

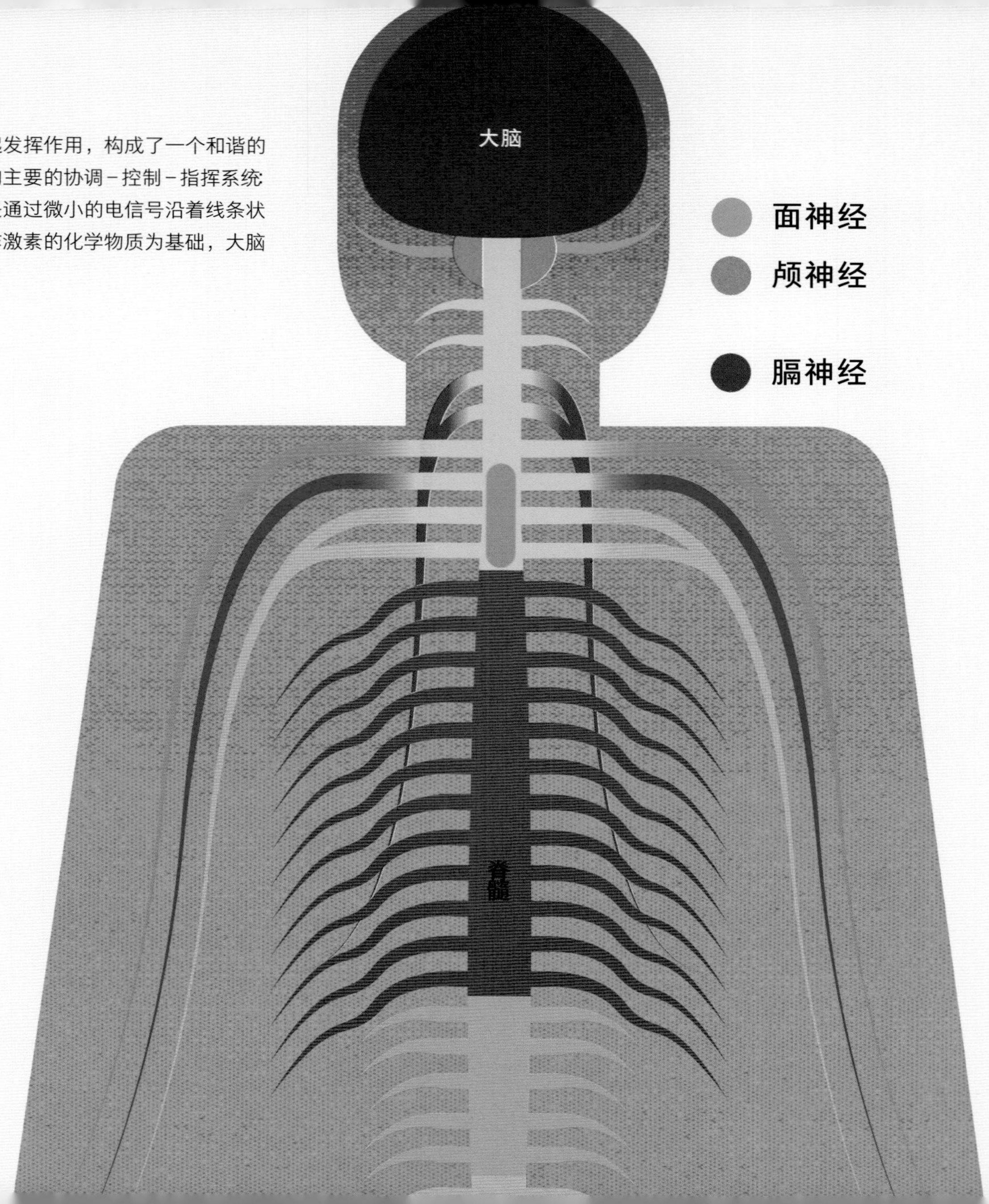

大脑

脊髓

- 面神经
- 颈神经
- 膈神经

- 颈神经
- 臂丛神经

- 桡神经
- 正中神经
- 尺神经

- 胸神经

- 腰神经

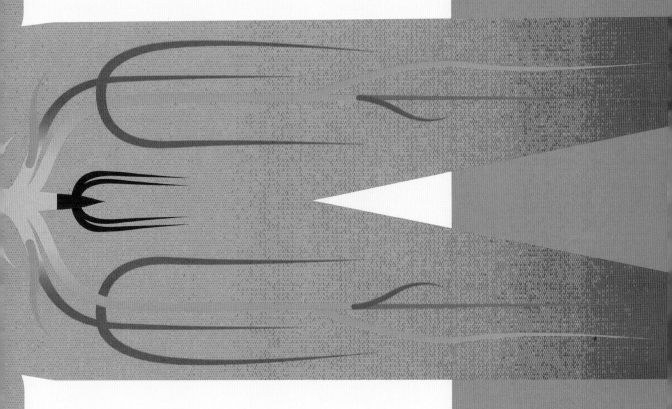

● 骶神经
● 臀部神经
● 阴部神经
● 坐骨神经
● 股神经

● 腓神经
● 腓神经
● 胫神经

神经图

神经是脑或脊髓发出分支形成的，并随着与身体各个部分连接而不断再发出分支，变成只有显微镜下才能看到的那么细。

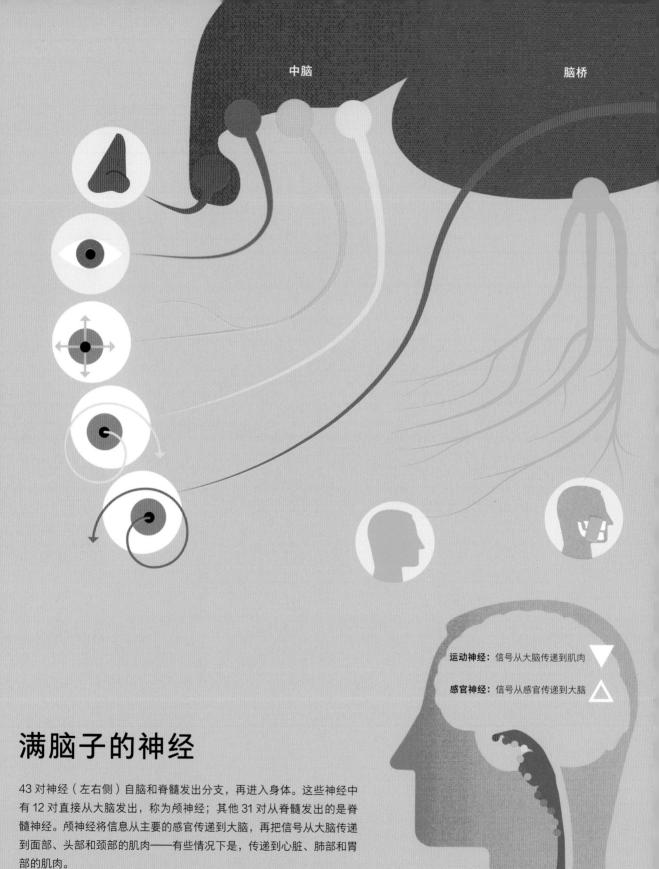

中脑　　　　　　　　　　　　　　脑桥

运动神经：信号从大脑传递到肌肉 ▼

感官神经：信号从感官传递到大脑 △

满脑子的神经

43 对神经（左右侧）自脑和脊髓发出分支，再进入身体。这些神经中有 12 对直接从大脑发出，称为颅神经；其他 31 对从脊髓发出的是脊髓神经。颅神经将信息从主要的感官传递到大脑，再把信号从大脑传递到面部、头部和颈部的肌肉——有些情况下是，传递到心脏、肺部和胃部的肌肉。

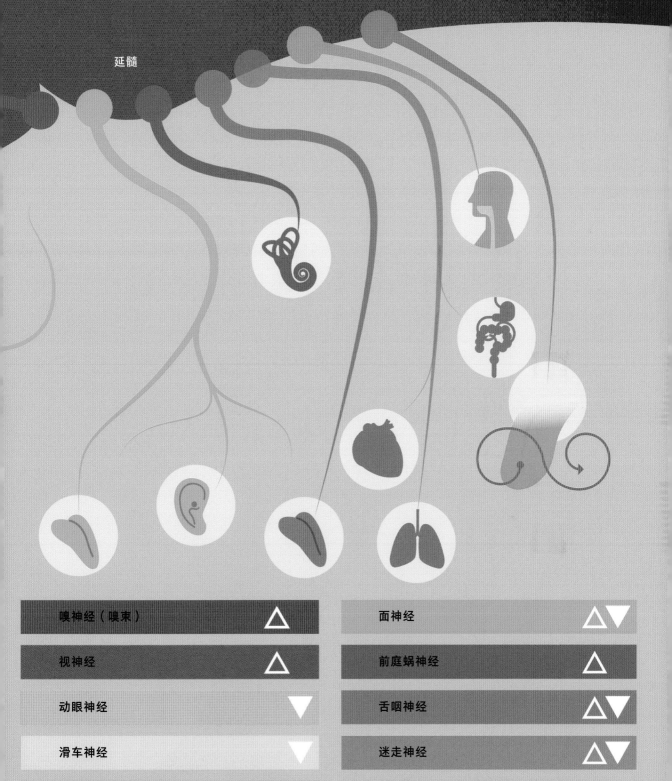

延髓

嗅神经（嗅束） △	面神经 △▽
视神经 △	前庭蜗神经 △
动眼神经 ▽	舌咽神经 △▽
滑车神经 ▽	迷走神经 △▽
三叉神经 △▽	副神经 ▽
展神经 ▽	舌下神经 ▽

请注意间隙

全身的神经共用相同的基本通信系统。这个过程以电学活动为主，还有一些化学过程。单独的一个神经信号是持续时间很短的一个微小的电脉冲；对于任何神经、在任何时间、在身体的任何部位，这都是一样的。这个过程所携带的信息取决于电脉冲前后相接的速度、它们从哪里传来以及到哪里去。

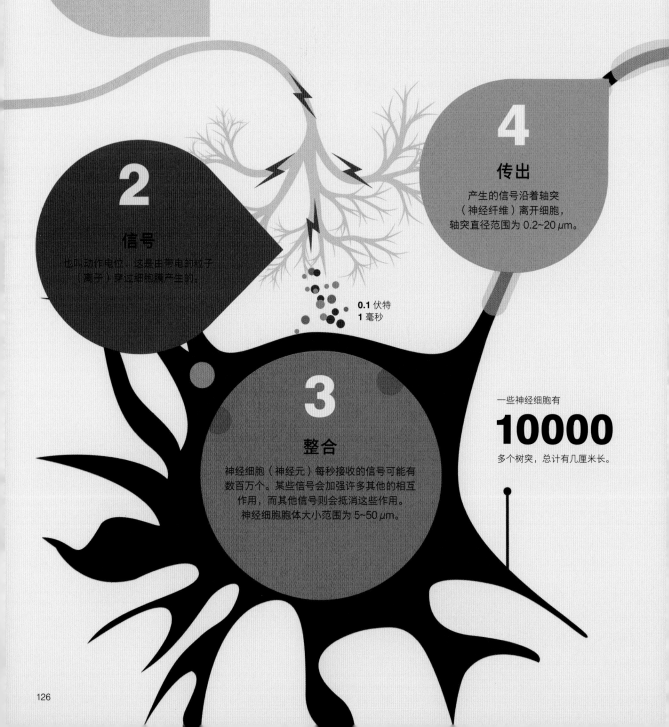

1

传入

神经细胞的树突收集神经信号，树突的大小范围是 0.1~5 μm。

2

信号

比叫动作电位，这是由带电的粒子（离子）穿过细胞膜产生的。

0.1 伏特
1 毫秒

3

整合

神经细胞（神经元）每秒接收的信号可能有数百万个。某些信号会加强许多其他的相互作用，而其他信号则会抵消这些作用。神经细胞胞体大小范围为 5~50 μm。

4

传出

产生的信号沿着轴突（神经纤维）离开细胞，轴突直径范围为 0.2~20 μm。

一些神经细胞有

10000

多个树突，总计有几厘米长。

5

增强传导

髓鞘包在许多轴突外侧。
脂肪性髓鞘沿着轴突螺旋形缠绕。
这能加快传导速度，因为信号可以
沿着轴突"跳跃"。
髓鞘也可以防止信号减弱并减少信
号泄漏。

8

继续前进

接受信号的是另一个神经细胞
的树突或胞体，神经递质触发
了新的电信号，信号就离开了
突触。

6

神经连接处

神经细胞之间的连接称为突触。每个轴突的
末端与下一个神经细胞之间并不完全接触。
突触间隙平均为 0.02 μm。

0.1 毫秒
传递时间

7

化学传递

称为神经递质的化学物质传递信号。
每个信号中含成千上万个甚至数
百万个神经递质分子。

最长的轴突
几乎有 1 米（从脚趾到脊髓）

1 μm=1 微米 =0.001 毫米 =0.000001 米（1 米的百万分之一）

重要的连接

脊髓把大脑和躯干相连接，它长得长长细细，像地铁一样。脊髓发出分支，形成 31 对脊神经，它们在脊椎间的关节处离开脊髓。通过脊髓，所有的脊神经能把皮肤和内脏器官的感觉信息传递到大脑，并把大脑的运动信号传递给肌肉。

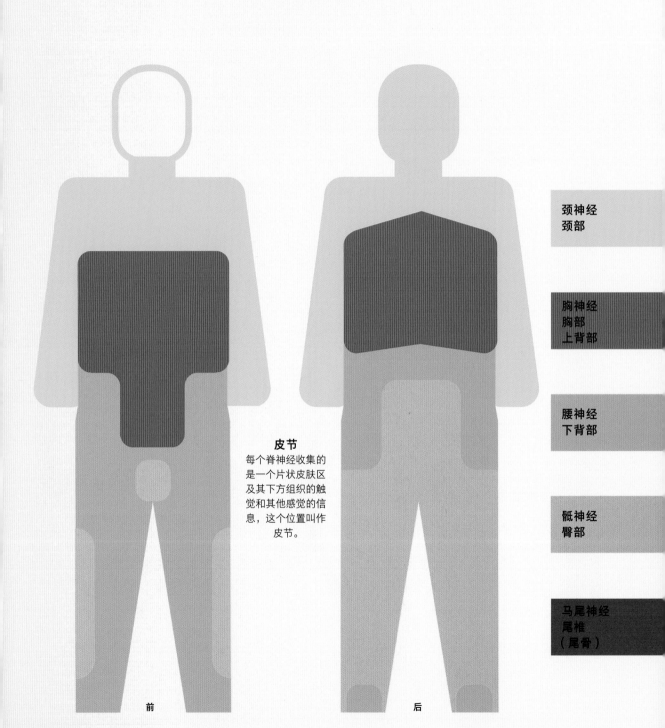

皮节
每个脊神经收集的是一个片状皮肤区及其下方组织的触觉和其他感觉的信息，这个位置叫作皮节。

颈神经
颈部

胸神经
胸部
上背部

腰神经
下背部

骶神经
臀部

马尾神经
尾椎
（尾骨）

前　　　　　　后

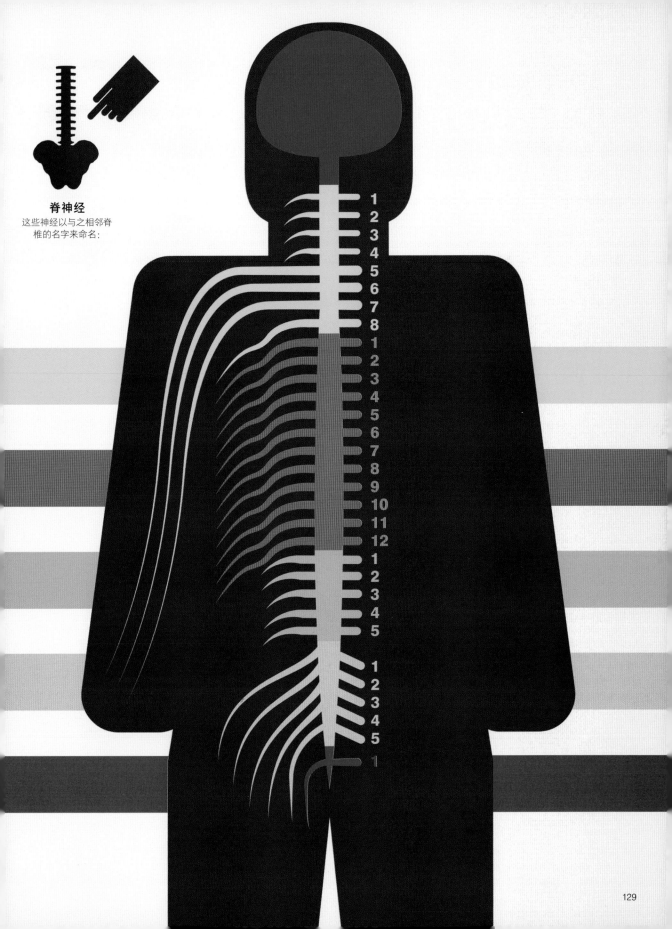

脊神经

这些神经以与之相邻脊
椎的名字来命名：

129

反射与反应

通常来说，大脑必须把注意力集中在一个特别重要的任务上，比如阅读这本书——或者驾驶一架超音速喷气式飞机。所以，为了不打断任务的进行，身体的许多部分通过称为反射的自主运动自己打理自己。这一部分通过神经信号对某一刺激如触摸做出反应，神经信号进入脊髓和直接返回肌肉的"短路"，从而产生必要的动作，之后如有需要，大脑会参与控制运动的过程。反应是快速、有目的的动作，而且确实与大脑的意识觉醒相关，因为它觉察到某种状况、快速思考并且迅速响应。

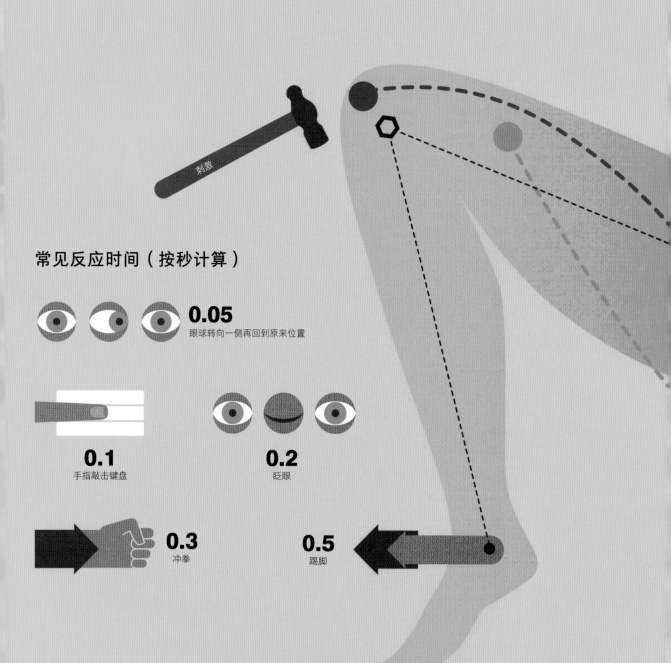

刺激

常见反应时间（按秒计算）

0.05
眼球转向一侧再回到原来位置

0.1
手指敲击键盘

0.2
眨眼

0.3
冲拳

0.5
踢脚

脑的意识

脑中潜意识的
过滤器

反射是怎么发生的

身体感受到某种刺激如突然的运动、不熟悉的触摸或疼痛之后，会立即采取行动。神经信号也进入脑，脑下意识地对它们进行过滤，如果这些信号足够重要，就会进入意识。

━ ━ ━ ━　　感觉神经

─ ─ ─ ─　　中枢神经

▬ ▬ ▬ ▬　　运动神经

━ ━ ━ ━　　在脊髓中继上行

找不同

在 0.7 秒内找出这三个物体中与众不同的那个

在 1 秒内找出这六个物体中与众不同的那个

交感自主神经系统：应对紧急情况！

自主神经系统的交感部让人体做好准备，以便采取行动。使用能量和自我保护，这通常称为"恐惧、战斗或逃跑"，激素系统也参与了这个过程。脊髓旁的迷走神经链和交感神经链（神经节）控制着激素系统的大部分活动。

血糖（糖）更高浓度，提供能量

瞳孔 扩大（扩张）

消化活动 减少

血压 升高

心率 更快

呼吸 更快、更深

肌肉 紧绷着，做好了准备，有额外的血供

顶部

颈部

胸部

腰部

副交感自主神经系统：提供正常服务

副交感自主神经系统做着日常的"管家"工作。脑通过脊髓控制着它的绝大多数神经。它的作用通常是与交感神经系统相反。在每天的生活当中，这两个系统不断平衡着它们对人体的影响。

血糖（糖）正常浓度，提供能量

瞳孔 收缩（缩小）

消化活动 适度

血压 标准范围

心率 正常

呼吸 稳定

肌肉 舒张

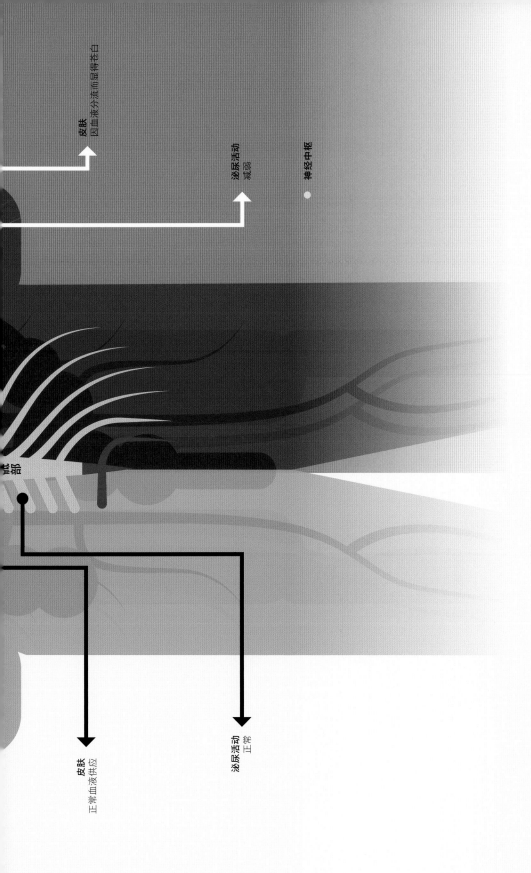

自动运行

人类的大脑真的让人诧异，但即便如此，在意识水平上，它对通过人脑信息的处理能力也很有限。因此，它会减轻体内许多活动的负荷，如消化食物、心跳、呼吸和收集垃圾，这是在自主神经系统（ANS）的协助下自动进行的。ANS是边缘系统的一部分，潜意识中它靠自身来组织内部活动——只有出现问题时，它才会向思维和感觉发觉发出警告。

总开关

与脑和神经进行着通力合作的是第二种全身性的协调 – 控制 – 指挥系统：激素系统或内分泌系统。
它的基础是称为激素的天然化学物质，由体内称为内分泌腺的部位产生。脑前下方葡萄大小的区域
是下丘脑，垂在它下方的烤豆子般大小的叫垂体，下丘脑和垂体对上述两个系统进行整合。看来，
执行董事和首席营运官还是一对"美味"的搭档呢。

下丘脑

脑的许多其他部位与之有着直接的神经
联系。它产生释放因子（下丘脑激素），
告诉垂体要做什么，并接收垂体的反馈
信息。它在叫下丘脑神经核团的神经细
胞群中发挥自身作用。

前叶

后叶

垂体

受制下丘脑和大脑皮层的控制。它生成和/或
释放激素，控制其他内分泌腺和很多生命过程
（如下一页）。它也会向下丘脑发送反馈信
息。

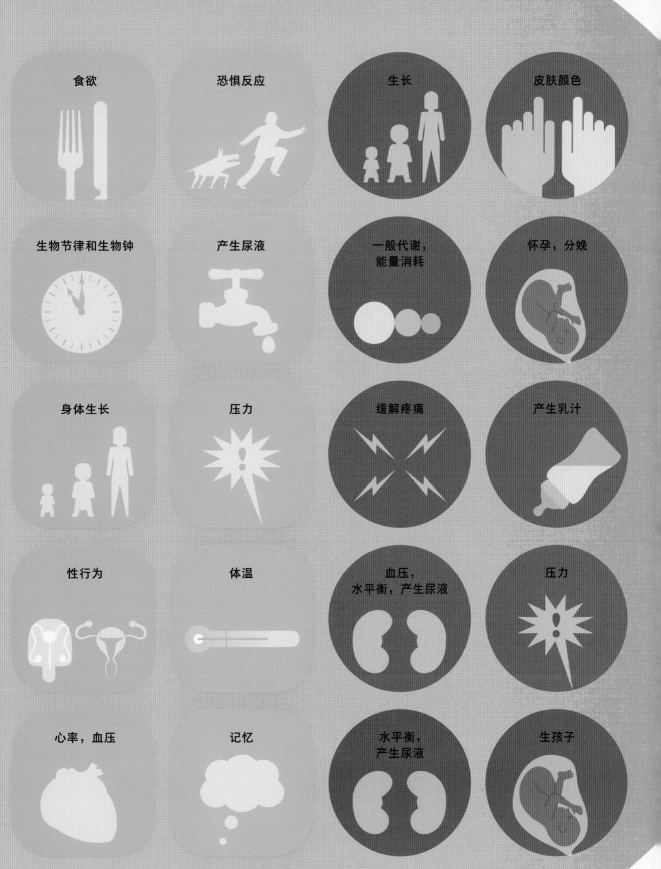

食欲

恐惧反应

生长

皮肤颜色

生物节律和生物钟

产生尿液

一般代谢，
能量消耗

怀孕，分娩

身体生长

压力

缓解疼痛

产生乳汁

性行为

体温

血压，
水平衡，产生尿液

压力

心率，血压

记忆

水平衡，
产生尿液

生孩子

各司其职的化学物质

血液不仅是把所含营养供给全身的分配者，也是一张大规模的公路网，把激素分布到全身。每种激素都是小的、血源性的化学物质。它来自一个特定的内分泌腺，到达全身每一个角落，但只会影响特定的组织和器官，这些叫作它的靶对象。

垂体
激素系统的"主管腺体"
产物
十余种激素以及类似的物质（见上一页）
目标
大多数部位，从细胞到大的器官
大小
15×10 毫米

松果体
调节睡眠－觉醒模式、生物节律
产物
褪黑素
目标
大多数部位，特别是脑
大小
9×6 毫米

甲状腺
调节新陈代谢、机体运作的速度；控制血钙水平
产物
甲状腺素、三碘甲腺原氨酸；降钙素
目标
身体的大多数细胞
大小
100×30 毫米

甲状旁腺
控制血钙水平
产物
甲状旁腺素
目标
身体的大多数细胞
大小
6×4 毫米

胰腺
调节血糖（见下一页）
产物
胰岛素；胰高血糖素
目标
大多数体细胞
大小
13 x 4 厘米

胃
分泌胃酸和其他消化液
产物
胃泌素；缩胆囊素；促胰液素
目标
胃；胰腺、胆囊；胰腺
大小
30 x 15 厘米

肾上腺 1：外层（皮质层）
调节水和矿物质的水平；对压力做出反应；性发育、性活动
产物
醛固酮；皮质醇；性激素
目标
肾脏和肠道；大多数身体部位；性器官
大小
整个腺体是 5 x 3 厘米

肾上腺 2：内层（髓质层）
为身体的行动（恐惧、战斗、逃跑）做准备
产物
肾上腺素和类似的激素
目标
大多数身体部位
大小
整个腺体是 5 x 3 厘米

胸腺
刺激白细胞抵抗疾病
产物
胸腺素和类似的激素
目标
白细胞
大小
儿童为 5 x 5 厘米，成人中已萎缩

肾脏
水和矿物的平衡，血压；红细胞的生成
产物
肾素（一种酶）；红细胞生成素
目标
肾脏和血液循环；骨髓
大小
12 x 6 厘米

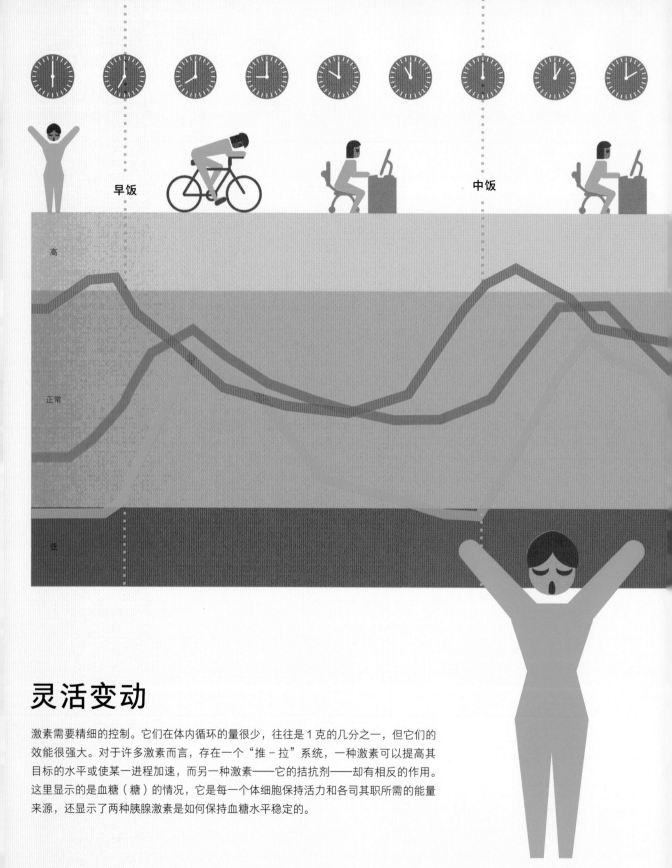

早饭

中饭

高

正常

低

灵活变动

激素需要精细的控制。它们在体内循环的量很少，往往是 1 克的几分之一，但它们的
效能很强大。对于许多激素而言，存在一个"推－拉"系统，一种激素可以提高其
目标的水平或使某一进程加速，而另一种激素——它的拮抗剂——却有相反的作用。
这里显示的是血糖（糖）的情况，它是每一个体细胞保持活力和各司其职所需的能量
来源，还显示了两种胰腺激素是如何保持血糖水平稳定的。

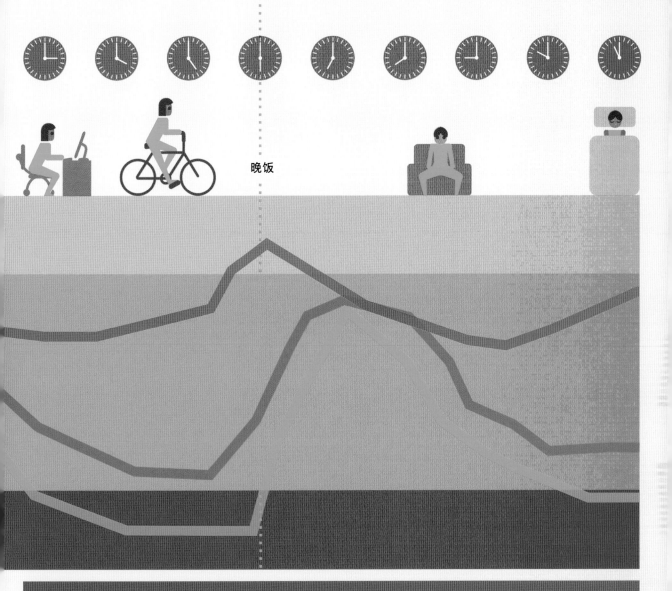

晚饭

胰高血糖素
来源：胰岛中的 α 细胞。
功能：通过让肝脏把肝糖原（淀粉）转化为葡萄糖来提高血中的葡萄糖水平。
水平：胰高血糖素在其他两个物质的含量上升后才会下降，要经过一段较长的滞后期，达 1~2 小时。

血糖
来源：食品和饮料，尤其是富含糖和淀粉（碳水化合物）。
功能：为每一个细胞的代谢过程提供能量。
水平：随着进食（尤其是高碳水化合物的食物）而升高，随着活动和锻炼而下降。

胰岛素
来源：胰岛中的 β 细胞。
功能：通过促进细胞利用葡萄糖和肝内葡萄糖的转化而降低血液中的葡萄糖水平。
水平：胰岛素随葡萄糖水平变化，滞后几分钟。

维持稳定

水和矿物质的平衡对健康而言至关重要。当身体吃、喝、呼吸、出汗、锻炼和做其他任何事情的时候，很容易打破平衡。一些人体部位和激素共同发挥作用，确保不会出现失衡的情况并继续维持现状。

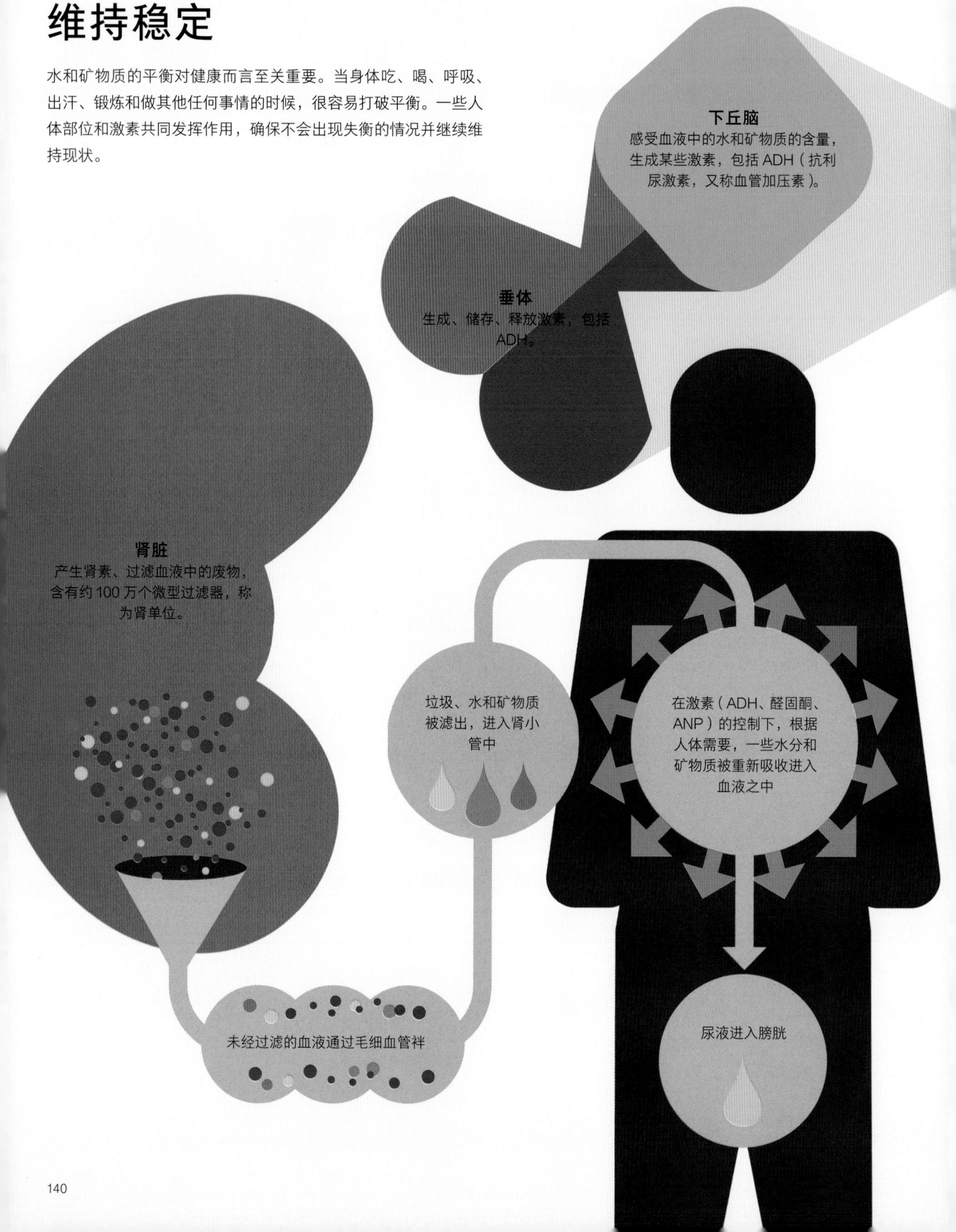

下丘脑
感受血液中的水和矿物质的含量，生成某些激素，包括 ADH（抗利尿激素，又称血管加压素）。

垂体
生成、储存、释放激素，包括 ADH。

肾脏
产生肾素、过滤血液中的废物，含有约 100 万个微型过滤器，称为肾单位。

垃圾、水和矿物质被滤出，进入肾小管中

在激素（ADH、醛固酮、ANP）的控制下，根据人体需要，一些水分和矿物质被重新吸收进入血液之中

未经过滤的血液通过毛细血管袢

尿液进入膀胱

低血压
当血液中的水含量减少和血压下降时

脑垂体释放 ADH（抗利尿激素、血管加压素）。

血压上升了

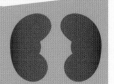

肾脏释放的肾素把来源于肝脏的 AT1（血管紧张素1）转化为 AT2。

ADH 的靶点是肾脏，让它们把尿中更多的水分带进血液中。

血管更加狭窄，血液中水分变多

AT2 受体让血管变窄使血压升高，并刺激肾上腺释放醛固酮。

ADH 也让血管变得更狭窄，从而使血压升高。

醛固酮以肾脏为目标，所以它们把尿中更多的水分带进血液中。

进入血液的肾源性水分变少，血容量下降

以肾脏为靶点，它们从尿中带入血液的水分减少

释放出心房（上面的心腔）产生的 ANP（心房钠尿肽）

血压下降了

高血压
当血液中的水分增加以及血管变狭窄时

会思考的身体
THINKING BODY

与脑有关的数字

普通的脑有很多种尺寸（此处显示的是一般平均值），这些外部尺寸大小与智力并无简单的关联。尽管脑子看起来安安静静、很迟钝，它却忙于进行神经电活动和化学活动，让它——按平均来算——成了整个人体最耗能的器官。

在脑袋中

脂质
10

蛋白质
7

碳水化合物、盐、矿物质
3

水
60

你脑袋里有什么?（%）

血液
10

脑脊液
10

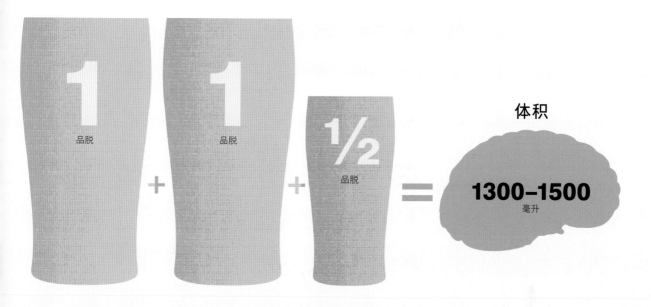

| | | | 体积 |
| 1 品脱 | + 1 品脱 | + 1/2 品脱 | = **1300–1500** 毫升 |

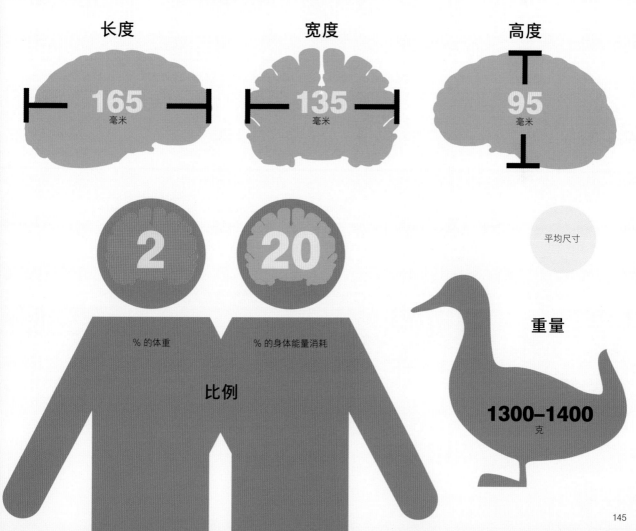

长度
165 毫米

宽度
135 毫米

高度
95 毫米

平均尺寸

2 % 的体重

20 % 的身体能量消耗

比例

重量
1300–1400 克

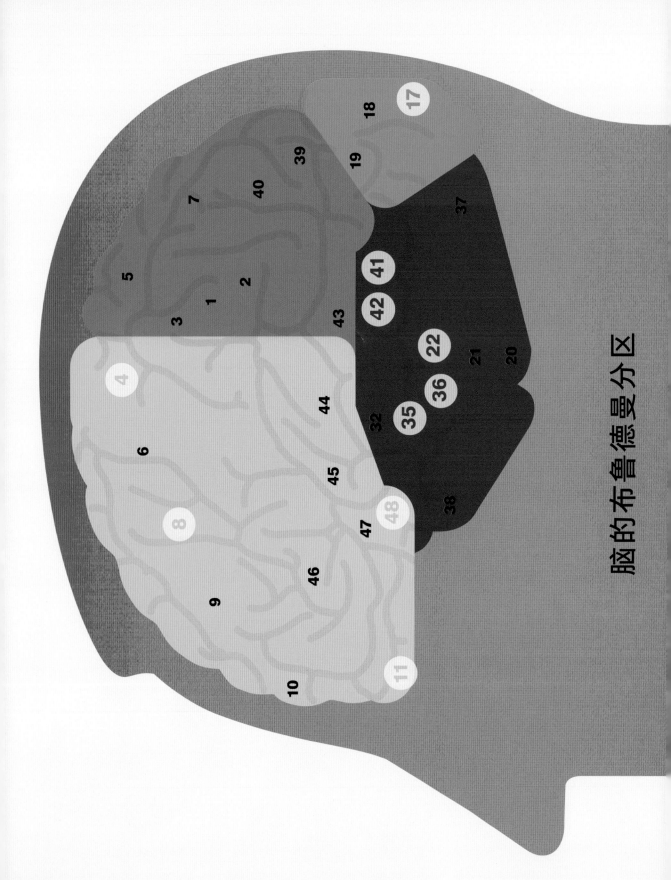

脑的布鲁德曼分区

特别仔细地观察下脑皮质（脑表面的主要折叠部分）。在显微镜下可以看出，它的神经细胞并不是完全相同的。
它们的形状、大小和六层组织都不同。就像一个混合体。这些片状区域称为布鲁德曼区。每个区域都有各
自的编号和作用。这里会选择性地展示一些主要区域和它们的功能。

4

运动

初级运动皮层
命令肌肉收缩并产生动作。

8

做决定

前额皮层
在与怀疑、决定和不确定性相关的几个位置。

11

奖赏

前额皮层
在做决定、评估奖励、推理和长期记忆的几个位置。

17

视觉

初级视皮层
来自眼部与视觉相关的信息的主要目的地。

22

语言

理解语言
韦尼克区（右侧）。意义不明（右脑）

35, 36

视觉 & 记忆

颞叶皮层
辨认系列的东西在广阔具合义。

41, 42

听觉

初级听觉皮层
来自耳与声音相关的信息的主要目的地。

48

意识

前额皮质
在与工作记忆、意识、注意力和专注相关的几个位置。

147

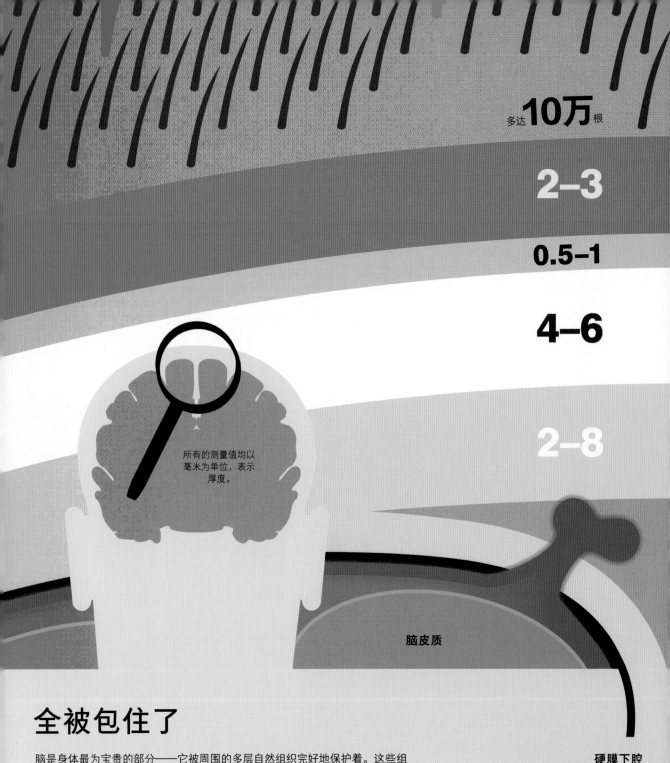

多达**10万**根

2–3

0.5–1

4–6

2–8

所有的测量值均以毫米为单位，表示厚度。

脑皮质

全被包住了

脑是身体最为宝贵的部分——它被周围的多层自然组织完好地保护着。这些组织层把力量、安全、缓冲减震和灵活性巧妙地结合在了一起。其中主要的三个层次是硬脑膜、蛛网膜和软脑膜，统称为脑膜。（如果看作单独的一层结构，就叫脑膜。）附加的层次可以添在外面，就像一顶坚硬的帽子……

硬膜下腔

硬脑膜和蛛网膜通常是连在一块儿的，所以这是"潜在的腔隙"，并且硬脑膜和蛛网膜只有在出现问题（疾病、损伤）的时候才会分离。

头发

这些都是角蛋白形成的丝线。每一根在 3~5 年后会自我更新。

头皮的皮肤

主要由胶原蛋白、弹性蛋白和角蛋白组成，4 周后自我更新。

骨膜　覆盖在骨组织上的坚韧的外层"皮肤"。

颅骨

颅的顶盖就是覆盖脑的那一部分，由八块颅骨组成，它们由叫作颅缝的关节连接在一块儿，这些关节很牢固，发生了融合。

脑膜 1：硬脑膜

字面上可以翻译成"坚强妈妈"（dura mater），相对于其他脑膜和脑而言，这一层是一个牢固而结实的外壳。构成硬脑膜的是致密的纤维，称为椎板。硬脑膜支撑着血管，容纳不同的血液空间（血窦）。

0.1–3

脑膜 2：蛛网膜

这个"蜘蛛妈妈"层是一个精致、海绵状、由胶原蛋白和其他结缔组织及液体构成的网。它是柔韧的泡沫状缓冲层，能吸收冲击对头部的影响。

0.1

脑膜 3：软脑膜

"温柔妈妈"的网格状纤维网是保护皮质不接触外物的最后一道防线，它紧紧贴着脑表面的轮廓。

0.3–8　**蛛网膜下腔**
这个腔隙含有脑脊液，是一流动的液体缓冲层，能吸收冲击对头部的影响。

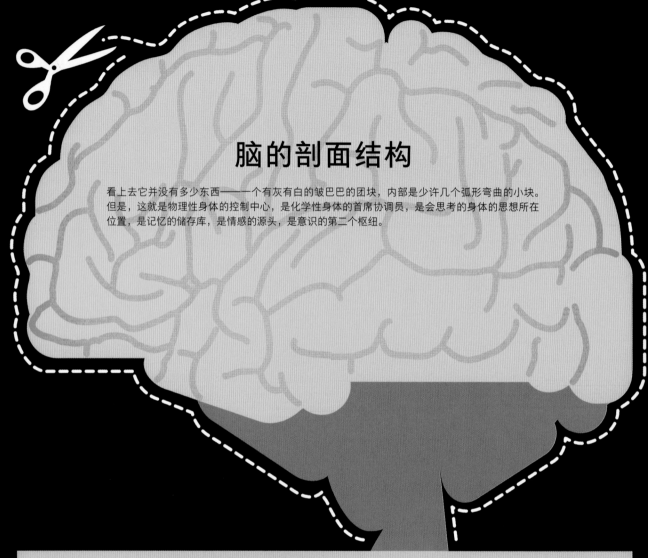

脑的剖面结构

看上去它并没有多少东西——一个有灰有白的皱巴巴的团块，内部是少许几个弧形弯曲的小块。但是，这就是物理性身体的控制中心，是化学性身体的首席协调员，是会思考的身体的思想所在位置，是记忆的储存库，是情感的源头，是意识的第二个枢纽。

大脑	位于上方的大的有褶皱的脑袋，分为两个半球。体积是全脑的 80%
	内容物：主要是白质、神经纤维（轴突）
	功能：连接皮质和脑的其他部分

胼胝体	左和右半球之间 10 厘米长的连接带
	内容物：2 亿余条神经纤维
	功能：让身体的一侧知道另一侧在做什么

中脑	体积是全脑的 10%
	内容物：神经细胞和纤维的混合
	功能：主要与人体的自动维护有关

丘脑	一对鸡蛋形状的团块，5~6 厘米长
	内容物：神经细胞和纤维，位于被称为核的区域
	功能：大脑皮层和意识的"守门人"

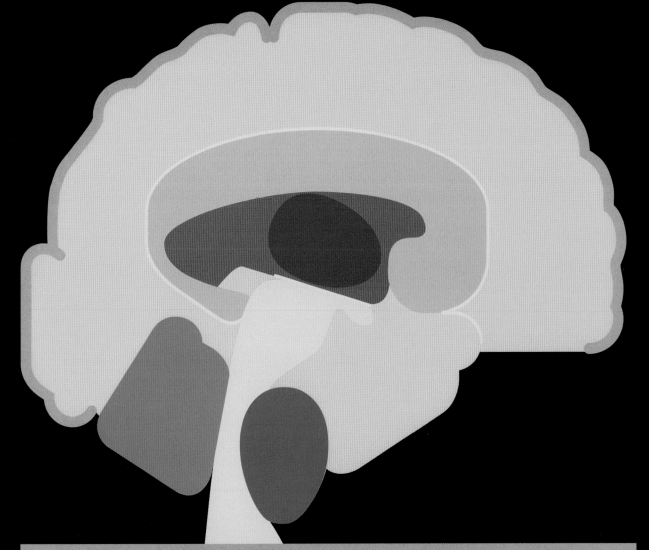

大脑皮质	大脑薄薄的灰色表层 **内容物**：200 亿个神经细胞（神经元） **功能**：意识和绝大部分有意识的思维过程的所在部位
脑干	脑的最低部分，向下延续到脊髓 **内容物**：神经细胞和纤维的混合 **功能**：诸如呼吸、心跳等身体基本活动的中心位置（见第 128、132 页）
脑桥	从顶部到底部为 2~3 厘米 **内容物**：主要是神经纤维 **功能**：位于低位脑和高位脑之间的连接部分
小脑	体积是全脑的 10% **内容物**：500 多亿条神经纤维 **功能**：参与运动和协调（见下一页）

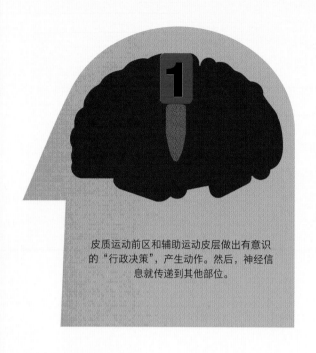

皮质运动前区和辅助运动皮层做出有意识的"行政决策",产生动作。然后,神经信息就传递到其他部位。

初级运动皮层(运动中心)是一张条带状的身体地图,上面有更多负责极为精准运动的区域,比如手指的运动。

动起来

运动看上去很简单。脑子想到它们——然后它们就发生了。但是这个过程涉及脑的多个部分之间相互发送和接收消息,特别是脑表面称为皮层运动区的条带状区域,还有后方的小脑、中央的丘脑、脑深部称为基底节的小的部位,以及其他部位。然后信号从大脑沿着神经到达肌肉,使肌肉收缩,牵拉骨头并让它们移动。所以总体来说,运动并不是那么简单的⋯⋯

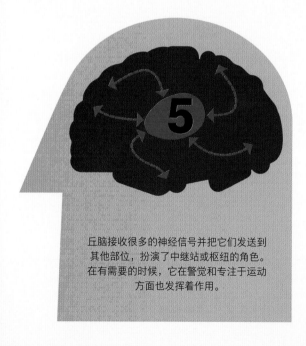

丘脑接收很多的神经信号并把它们发送到其他部位,扮演了中继站或枢纽的角色。在有需要的时候,它在警觉和专注于运动方面也发挥着作用。

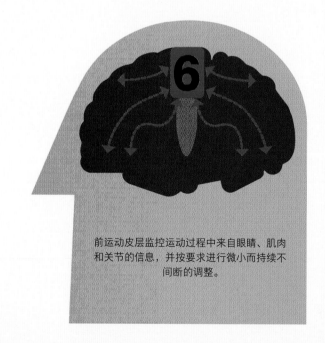

前运动皮层监控运动过程中来自眼睛、肌肉和关节的信息,并按要求进行微小而持续不间断的调整。

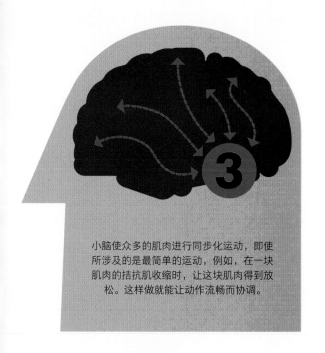

小脑使众多的肌肉进行同步化运动，即使所涉及的是最简单的运动，例如，在一块肌肉的拮抗肌收缩时，让这块肌肉得到放松。这样做就能让动作流畅而协调。

基底神经节帮助组织和协调相关的肌肉，尤其是做习惯性动作或常规动作的肌肉，人体已经习得并储存了这些动作的指令。

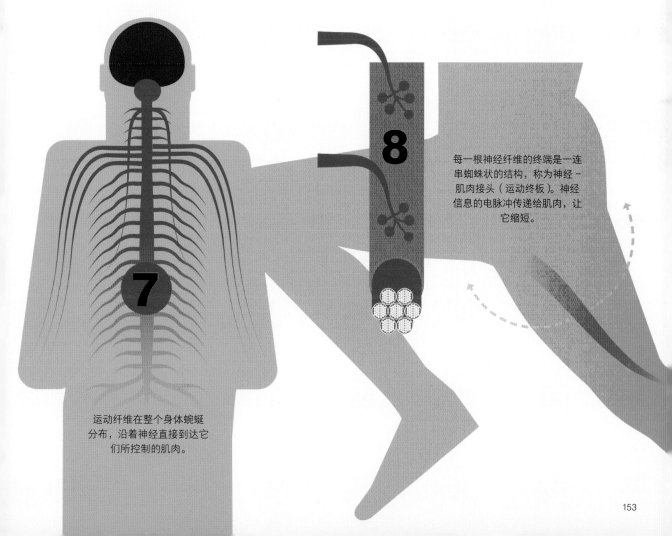

运动纤维在整个身体蜿蜒分布，沿着神经直接到达它们所控制的肌肉。

每一根神经纤维的终端是一连串蜘蛛状的结构，称为神经－肌肉接头（运动终板）。神经信息的电脉冲传递给肌肉，让它缩短。

左边还是右边？

脑的两侧看起来几乎是一模一样的。但是，它们的工作方式和所控制的东西是不一样的。其中的一部分差异关系到一个人是惯用右手还是左手。有一些与脑如何学习执行不同的任务有关。还有一些差异是"硬连接"到脑的神经电路中去的。这个现象有一个通用术语，叫作脑功能侧化——虽然越来越多的研究表明，这些差异比以前认为的要更加复杂。

每年的 8 月 13 日是左撇子节

在大多数人群中，平均 1/10 的人是左撇子，这意味着这些人偏向于使用左手，尤其是在做灵巧任务和熟练操作的时候。但是，这个平均数包含的是一个广泛的范围，从 1/50 到 1/4 不等。尽管有许多奇人奇事，但是并没有确凿的证据表明，艺术家、音乐家和一般有创造力的人中左撇子的比例更高。

但左撇子用右手执行操作往往比右撇子用左手做得更好。

自私
倾向于与自己互动而不是与右半球互动。

健谈
倾向于在语言、词汇、句法、语法方面占据主导地位，尤其是右撇子。

费劲
常常被认为负责处理分析性的"费劲"过程，如数字性任务、计算、公式、逻辑、一步一步推理、分类、定义、效率、科学与技术。

但是最近的研究表明，这并没有以前想的那么清楚。

1 2 3 4 5 6 7 8 9 10

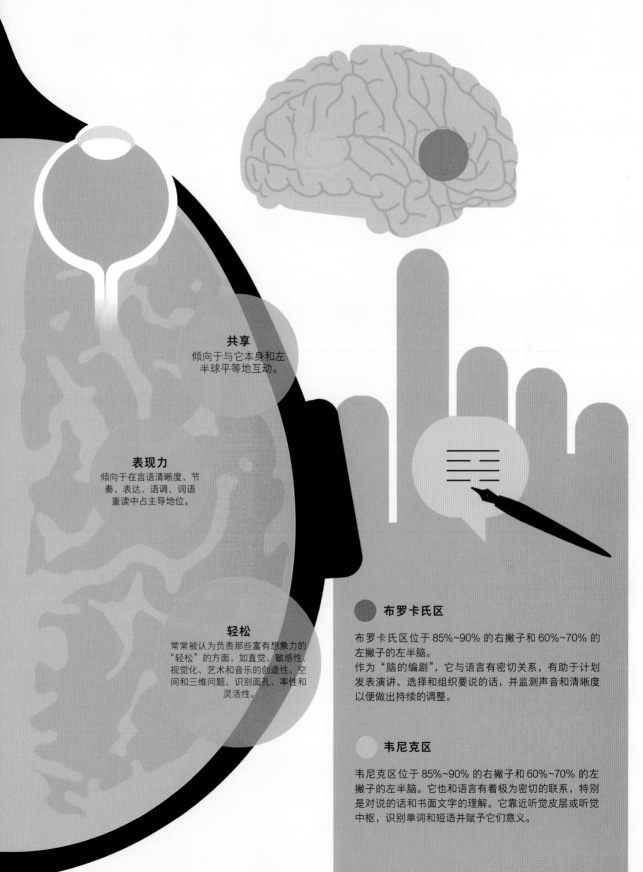

共享
倾向于与它本身和左半球平等地互动。

表现力
倾向于在言语清晰度、节奏、表达、语调、词语重读中占主导地位。

轻松
常常被认为负责那些富有想象力的"轻松"的方面，如直觉、敏感性、视觉化、艺术和音乐的创造性、空间和三维问题、识别面孔、率性和灵活性。

布罗卡氏区

布罗卡氏区位于 85%~90% 的右撇子和 60%~70% 的左撇子的左半脑。
作为"脑的编剧"，它与语言有密切关系，有助于计划发表演讲、选择和组织要说的话，并监测声音和清晰度以便做出持续的调整。

韦尼克区

韦尼克区位于 85%~90% 的右撇子和 60%~70% 的左撇子的左半脑。它也和语言有着极为密切的联系，特别是对说的话和书面文字的理解。它靠近听觉皮层或听觉中枢，识别单词和短语并赋予它们意义。

水淋淋的脑子

正式来说：脑子几乎都是一团糨糊。这个最为重要的器官中，大约有 75% 都是水，主要分布在细胞中和细胞之间。除了脑之外，所有其他的颅骨内容物几乎都是以水为基础的。这里的主要液体是血液和一种与神经系统不同的奇怪物质，称作 CSF，即脑脊液，它会慢慢地通过叫脑室的室腔——因为脑是中空的！

脑脊液和脑  血液和脑

任意时刻在脑中的容积（毫升）

150 120

脑脊液提供物理性保护和缓冲、清除废物、有助于调节脑内的血压，提供一些营养物质。

来源：脑室的脉络丛。

结局：被蛛网膜下腔和静脉吸收。

血液输送氧气、能量（葡萄糖）、营养物和矿物质，清除废物，散发温暖，抵抗感染。

来源：经颈内动脉（80%）和椎动脉（20%），从左心室而来。

结局：经由颈静脉进入右心室。

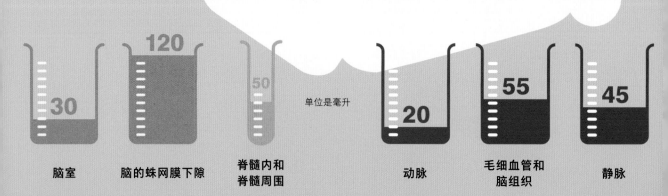

脑室	脑的蛛网膜下隙	脊髓内和脊髓周围		动脉	毛细血管和脑组织	静脉
30	120	50	单位是毫升	20	55	45

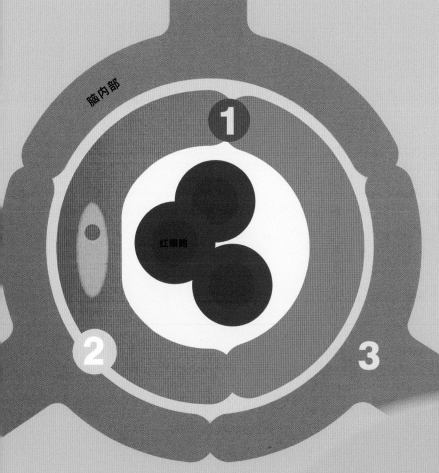

脑内部

红细胞

"三 B"

脑有特殊的保护作用，能防止血液中的有害物质进入脑子里，如各种细菌和有毒化学物质。这就是血 - 脑屏障（blood-brain barrier），即三 B。它的基础是脑部毛细血管与全身其他部位的普通毛细血管之间的三处不同。

1 **在形成毛细血管壁的细胞之间**
脑内部：无间隙
身体其他部位：有间隙

2 **毛细血管壁基底膜**
脑内部：连续
身体其他部位：有间隙

3 **毛细血管周围的保护细胞**
脑内部：有保护作用的星形胶质细胞
身体其他部位：无保护

身体其他部位

毛细血管壁的
细胞的胞体

红细胞

周围组织

脑袋中的互联网

脑主要的显微特征是神经细胞，或神经元——超过 1000 亿个。位于脑下后方的小脑含有绝大多数的神经元，脑皮质大约有 200 亿个。但它们不是脑的唯一一种细胞。神经细胞很容易受到损伤，而且各有专门的用途，所以它们需要帮助和支持——来自神经胶质细胞。胶质（意为"胶水"）细胞数量多于神经细胞，比例约为 20:1，它们所做的不单单是简单地把东西放在一起。神经胶质细胞的种类包括星形胶质细胞、少突胶质细胞和小胶质细胞。

星形胶质细胞

这些细胞通过提供物理性支撑和提供能量、养分和其他需求来支持神经细胞；保护和影响突触；有助于血－脑屏障发挥作用；修复神经和其他神经胶质细胞。

少突胶质细胞

这些细胞形成了轴突的脂肪覆盖层或髓鞘（见第 152 页）；通过物理性支撑和提供养分来支持神经细胞。

2500亿

小胶质细胞

它们是特化的"驻地卫士"。它们会像白细胞那样，搜寻并清除入侵者、受损的脑细胞和其他不需要的物质。

迅速！

小胶质细胞是脑中运动速度最快的细胞（除了沿着流体移动前进的细胞外，如沿着血液移动）。它们以每小时 0.1 毫米的速度前进。按这个速度，每前进 1 厘米，它们要花四天的时间。它们能以两倍的速度变长或缩短。

有多少个神经细胞？[1]

人脑中神经细胞的连接
（突触）的平均数目：

1 000 000 000 000 000
（一千万亿）

0	海绵
300	蛔虫
10000	水母
15万	果蝇
1百万	蟑螂
7千万	老鼠
1亿	丛猴
5亿	章鱼
100亿	人
	大象

1   2   3   4

天

1厘米

1 整个神经系统中的神经元。

脑的下部

在左、右半脑的巨大的有褶皱的穹顶下方，在有"迷你脑"之称的小脑前方，是中脑、脑干和其他我们比较陌生的部分。它们一直在工作，从而保持身体的自动系统平稳运行，在高位脑的意识中枢和身体其他部位之间传递信息——以及执行各自的隐秘任务。

红核（意思是"红色的物体"）
一些无意识的运动，如在行走和跑步时摆动手臂。

黑质（意思是"黑色的东西"）
中脑的一部分。规划和完成动作、协调头－眼运动、快乐和奖励及成瘾行为。

顶盖（意思是"屋顶"）
中脑的这一部分处理视觉和声音信息以及眼睛的运动。

脑桥（意思是"桥"）
它是连接低位脑和高位脑的纽带，参与多种不同的过程，比如呼吸、基本反射如吞咽和排尿等、视力和其他主要感觉、面部运动、睡眠和做梦。

小脑（意思是"小的脑"）
运动、平衡和协调的主要中枢。

延髓（意思是"中心、核心"）
也叫延脑，它向下与脊髓合并，参与许多无意识的（自动、非随意的）过程、动作和反射，包括心率、呼吸频率、血压、消化活动、打喷嚏、咳嗽、吞咽和呕吐。

自命不凡的大脑

最大的脑

一般来说，生物体积越大，其脑袋越大。但它们并不会更加聪明，至少按照我们的智力标准而言是这样的。鲸鱼不会下象棋或者记住太阳的行星。（但是，人也不能在1千米以下的海洋里捕捉大王乌贼。）测量数据显示的是脑的重量，按克计算。

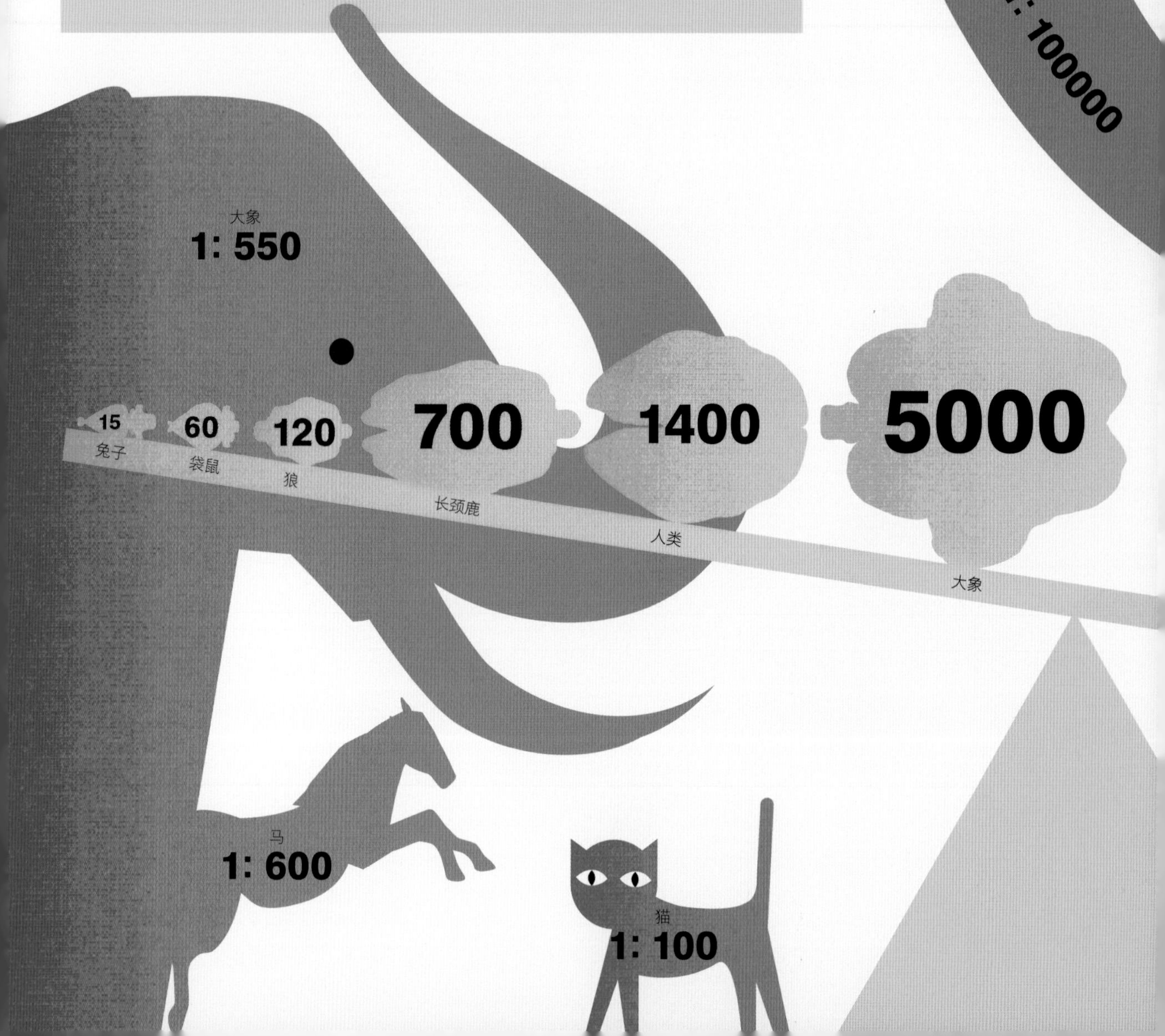

梁龙
1: 100000

大象
1: 550

15
兔子

60
袋鼠

120
狼

700

长颈鹿

1400

人类

5000

大象

马
1: 600

猫
1: 100

按照身体比例而言最大的脑

通过比较脑和身体的比例，我们会发现另一种似乎与智力联系更加紧密的测量方法。比例越大的动物，在有新情况出现时，会表现出制订计划、解决问题和适应的行为特征。这个比例是指脑与身体质量的比值。

海豚
1: 100

鲨鱼
1: 2500

麻雀
1: 15

树鼩
1: 10

人类
1: 40

7500

抹香鲸

蚂蚁
1: 7

感觉交叉

脑一般单独地处理各种主要的感觉。但有时候，这些感觉会混合在一块儿，这种现象会出现在每一个人身上。例如，某一特定的声音会引发嘴里的一种特殊味道，或某一特别的气味会唤起脑海中很久很久以前的记忆。词语有颜色（即使印出来是黑色），形状引发了味道，某几种触觉会刺激声音。

具有联觉能力的人 [1] 的比例（%）

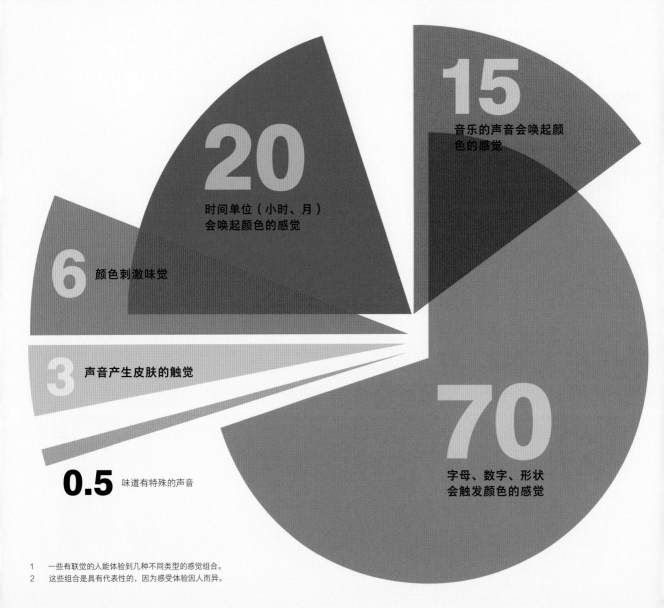

20 时间单位（小时、月）
会唤起颜色的感觉

15 音乐的声音会唤起颜色的感觉

6 颜色刺激味觉

3 声音产生皮肤的触觉

0.5 味道有特殊的声音

70 字母、数字、形状
会触发颜色的感觉

1 　一些有联觉的人能体验到几种不同类型的感觉组合。
2 　这些组合是具有代表性的，因为感受体验因人而异。

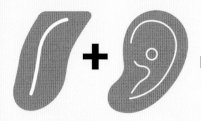

味—声觉组合 [2]

在某些联觉的例子中，一种声音会激发嘴里的一种特殊味道。

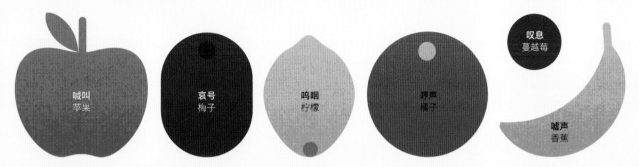

喊叫
苹果

哀号
梅子

呜咽
柠檬

哼声
橘子

叹息
蔓越莓

嘘声
香蕉

彩色的月份 [2]

在另外一些例子中，某一月份和某种颜色是有联系的。

1 月

2 月

3 月

4 月

5 月

6 月

7 月

8 月

9 月

10 月

11 月

12 月

与记忆有关的数字

记忆力是无穷的。脑子不仅能记住事实和信息，比如朋友的电话号码或者是写了《物种起源》的作者[1]，它还能记得住面孔、场景、声音、味道、皮肤的触觉、技能和运动模式如写字和骑自行车，以及经历过的情绪和感受。关于脑和计算机的储存容量的比较就太简单了。但是，"工作存储器"（电脑中与之对应的是 RAM，随机存取存储器）的大小、存储和检索信息的速度也很至关重要。

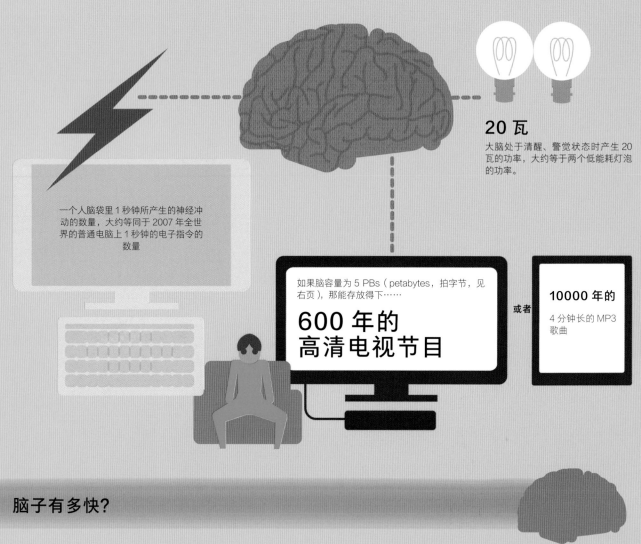

一个人脑袋里 1 秒钟所产生的神经冲动的数量，大约等同于 2007 年全世界的普通电脑上 1 秒钟的电子指令的数量

20 瓦

大脑处于清醒、警觉状态时产生 20 瓦的功率，大约等于两个低能耗灯泡的功率。

如果脑容量为 5 PBs（petabytes，拍字节，见右页），那能存放得下……

**600 年的
高清电视节目**

或者

10000 年的

4 分钟长的 MP3 歌曲

脑子有多快？

有一种判断计算机处理速度或性能的方法是 FLOPS，即每秒所执行的浮点运算次数（floating-point operations per second）。

可以把一次 FLOP 想象为一步计算。假设：

- 脑中含有 1 亿个神经细胞。
- 每个神经细胞连接到平均 1000 个其他神经细胞。
- 每一个突触，或神经细胞之间的连接，大约有 20 种不同形式。
- 神经元每秒钟发出的冲动高达 200 次。

以上不断相乘得到，脑袋的速度是 400 petaFLOPS（一千万亿次 FLOPS 或一千的五次方次 FLOPS）

这能比得上速度为 10~50 PFLOPS 的超级计算机了。

1　查尔斯·达尔文，1859 年出版了这本书。记住这点。

内存有多少?

日常工作设备的典型存储容量

1

家用电脑的硬盘

NWNM

150

1 页 A4 纸大小的
Word 文档

100–200

电视高清硬盘录像机

8–64

记忆棒

16–64

平板电脑或智能手机

脑的 1 个突触
0.0047

10–100

台超级计算机

1–10

10–100

人脑
下界估计

人脑
上界估计

B: 字节	通常是 8 位（bits），1 个存储器工作单元	
KB: 千字节	1000 bytes	
MB: 兆字节	1000 KB	1 百万 bytes
GB: 吉字节	1000 MB	10 亿 bytes
TB: 太字节	1000 GB	1 万亿 bytes
PB: 拍字节	1000 TB	1 千万亿 bytes

记忆游戏

不方便的是，脑没有单独的"记忆中心"。实际上，记忆并不是只有一种类型，而是有很多种。脑的多个部位处理有关学习、存储和记忆的不同方面。

这些部位也与脑的其他区域相关联，包括情感区域。因此，心情和情绪状态，以及疲劳、饥饿、心烦意乱和许多其他因素，都会极大地影响记忆力。在细胞水平上来说，记忆是脑的数十亿神经元之间新的连接和通路模式。

陈述性的记忆（明确）

需要意识和有意识地努力去记忆。
情景性的——有地点、事件、其他人物、相关感受
和情绪的事件（片段）。
语言性的——普通的知识、事实、概念、意义，通
常可以用文字来解释。

程序化的记忆（不明确）

能自动地回忆，而不用有意识地
去想，比如熟练的运动模式和思
维过程。

情感化的记忆

含有丰富情感内容、觉醒和强烈感受的记忆，在被
唤起时，全身会再次体验到这些情绪。

地形化的记忆（视觉－空间）

察觉并记忆周围环境，识别并定位物体和场景，导
航一条路线。

记忆的类型

运动皮层
含有关于运动的
记忆（程序化的
记忆）。

**触觉皮层
（躯体感觉）**
储存关于触觉的
记忆。

听觉皮层
含有关于声音的
记忆。

额叶
是诸如地形意识这样的短
期"工作记忆"的主要部
位。含有大量与其他区域相
关的信息，构成记忆的不同
要素。

味觉皮层
拥有关于味道的
记忆。

嗅觉皮层
储存关于气味的
记忆。

杏仁核
在形成含有丰富的情绪和感觉的
记忆中发挥主要作用（情感化记
忆）。在巩固记忆、把短期记忆
转化为长期记忆（和海马体一起）
的过程中发挥重要作用。

海马体
在巩固记忆、把短期记忆转变为长
期记忆（和杏仁核一起）的过程
中发挥重要作用。参与周围环境中物
体的空间记忆和航行中的物体的空
间记忆（地形化记忆）。

视觉皮层
储存关于视觉的
记忆。

小脑
储存关于运动的记忆
（程序化的）。

记忆共享

脑的多个部位储存记忆的不同方面或组成部分。比如，视觉中心或视觉皮层
含有基于图像的信息，能让一个对象得到确认、被命名以及被纳入一个更大
的记忆经验中去。在额叶，记忆的成分大多会融合在一起，从而形成了意识。

情绪化的脑

"是真的吗？哦不，太可怕了。悲剧啊！"身体用头晕、发抖、站立不稳还可能是哭泣来做出反应。心烦意乱，头脑无法进行有条理的思考或做出明智的决定。"不，等一等——这不是真的。好极了！"精神振奋起来，身体高兴地跳跃着。苦恼的哭声变成喜悦的欢呼，快乐的眼泪取代了痛苦的眼泪。大脑中这种强烈的情绪是从哪里来的呢？

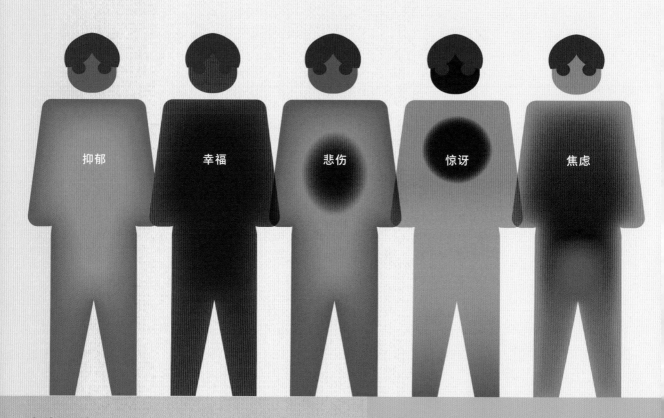

抑郁　　幸福　　悲伤　　惊讶　　焦虑

边缘系统

这个系统是根据功能来定义的，也就是说，是有助于产生感受、情绪和感情的部位。（这些部分也有其他不同的任务。）

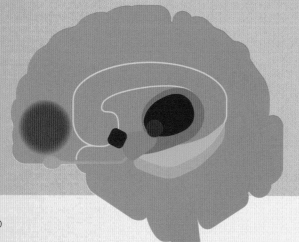

海马体
形成并输出长期记忆（但它本身并不存储这些记忆）。它与杏仁核一起，有助于形成记忆中的情绪化部分及其回忆。

杏仁核
在处理记忆及其回忆中十分活跃（与海马体一起）。特别是涉及情绪时，能够一分钟一分钟地进行回忆甚至想象。

嗅球
把气味信息直接发送到杏仁核、海马体和边缘系统的其他位置。这就是为什么气味和香水会引发如此强烈、直接的情感和强有力的回忆。

情绪在哪里被感知？

每个人都有主观感觉，所以身体各个部位会受到强烈情绪状态的影响。我们可以通过描绘身体轮廓来显示情绪。

强大、热烈、快速、积极
中性的
微弱、冷淡、缓慢、消极

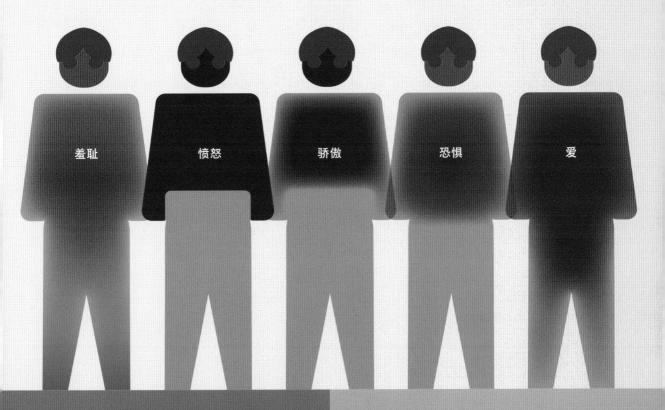

羞耻　　愤怒　　骄傲　　恐惧　　爱

穹窿
立于海马、丘脑和乳头体的中间，有助于形成记忆的情感部分。

海马旁回
对整个场景（而不是其中的人物和物体）记忆和识别，并对此做出情绪反应。

乳头体
参与情景化的记忆，即处理事件（情节）：地点、时间、人物、感受。

下丘脑
倾向于参与身体的情绪表达，而不是产生情绪。与诸如厌恶、不愉快以及不能自己的欢笑和流泪这样的情绪状态有关联。

丘脑
是边缘系统其他部位的中继站和分配中心。

额叶边缘区
位于脑表面的前下方、向内的区域，是多种形式的记忆的主要中继站和联合区，包括空间感知和导航，是海马体及其相关区域和皮质其他部分的过渡区。

脑的时间

身体有自己内置的生物钟，即 SCN，视交叉上核。这里的神经细胞的活动周期是 24 小时，也就是一昼夜（"约一天"）——嗯，大致是这样的。这种活动通过眼睛所感知到的自然界的日－夜节律从而与外部世界同步，眼睛"设置"了这个时钟。SCN 控制并协调着整个身体的生物节律，从体温和激素水平，到食欲、消化、清除废物以及睡眠－觉醒周期。

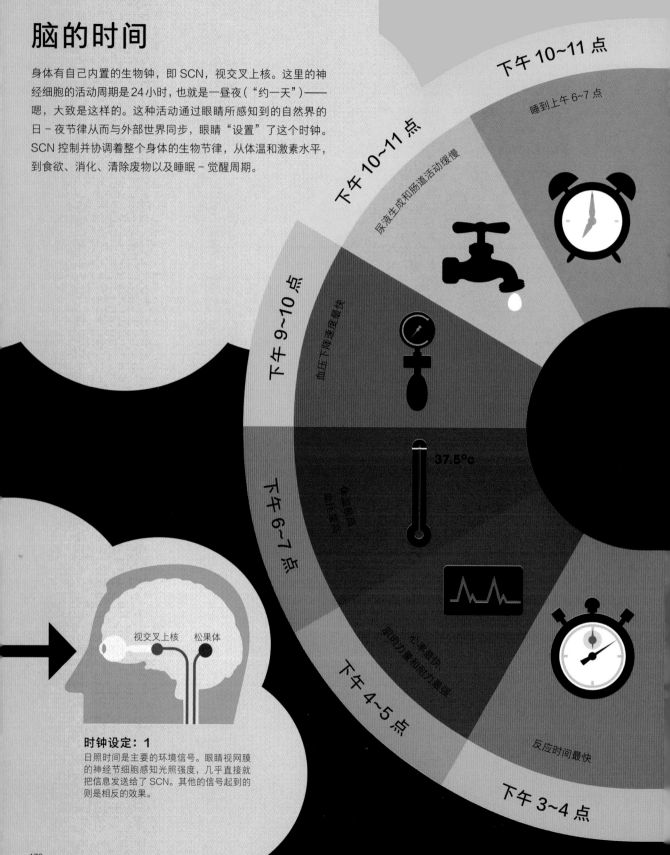

下午 10~11 点

睡到上午 6~7 点

下午 10~11 点

尿液生成和肠道活动缓慢

下午 9~10 点

血压下降速度最快

37.5°C

下午 6~7 点

体温和血压最高

心率最快
肌肉力量和耐力最强

下午 4~5 点

反应时间最快

下午 3~4 点

时钟设定：1

日照时间是主要的环境信号。眼睛视网膜的神经节细胞感知光照强度，几乎直接就把信息发送给了 SCN。其他的信号起到的则是相反的效果。

视交叉上核　　松果体

上午 4~5 点

血压最低

36ºc

上午 7 点

醒了。
血压上升速度最快

可能要排便、排尿

上午 7~8 点

X+Y

大脑灵敏度最高

上午 10~11 点

食欲最强

下午 12~1 点

身体协调性好、痛阈高

下午 2~3 点

时钟设定：2

另一种外部变化是环境温度，可以被皮肤感知到。脑的不同部位，如 PBN 即臂旁核，会感知传入的食物和用餐时间信息。应激能提高应激激素即皮质醇的水平，运动会使体温上升，还会使心率和呼吸频率加快。

身体的日常节律跟着生理时钟走，它与内分泌系统的许多部分有关联，尤其是松果体。

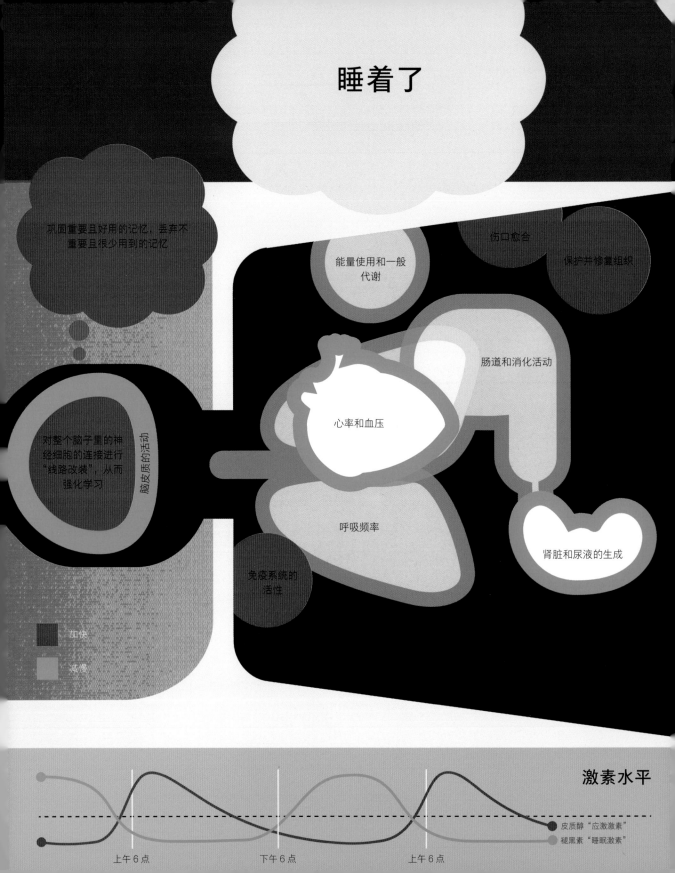

我们把生命中三分之一的时间用于睡觉，这主要是脑中松果体的褪黑素的作用。睡眠有浅睡眠阶段和深度睡眠阶段，还有一个叫 REM（快速眼球运动）的异相睡眠阶段，此期间会形成梦境。EEG，即脑电图，能记录脑的电活动，并追踪神经信号的数目、位置和模式。每种睡眠阶段和主要的心理过程都有一条特征性的 EEG 轨迹。要经历这一切，脑袋肯定不能休息，在处理记忆这方面，它尤其忙碌。生命器官如心脏、肺、肠道和肾脏，它们工作时十分放松。免疫系统和组织维护系统升级了它们的游戏，并提前完成了它们的任务。

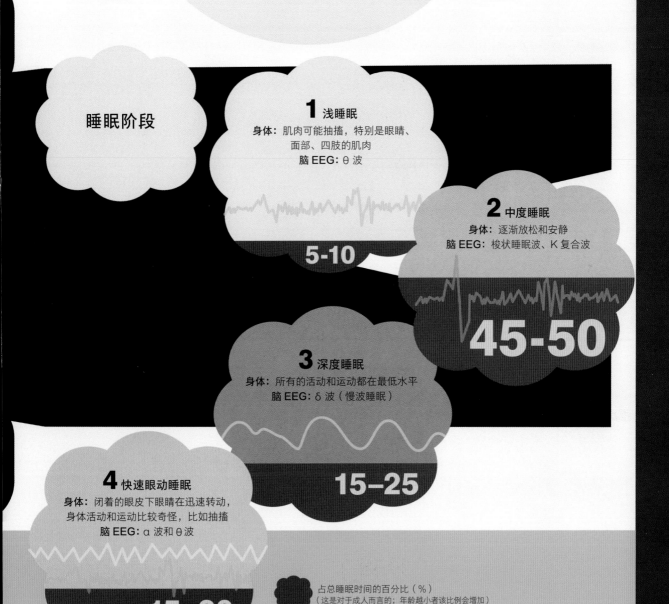

睡眠阶段

1 浅睡眠
身体：肌肉可能抽搐，特别是眼睛、面部、四肢的肌肉
脑 EEG：θ 波

5-10

2 中度睡眠
身体：逐渐放松和安静
脑 EEG：梭状睡眠波、K 复合波

45-50

3 深度睡眠
身体：所有的活动和运动都在最低水平
脑 EEG：δ 波（慢波睡眠）

15-25

4 快速眼动睡眠
身体：闭着的眼皮下眼睛在迅速转动，身体活动和运动比较奇怪，比如抽搐
脑 EEG：α 波和 θ 波

15-20

占总睡眠时间的百分比（%）
（这是对于成人而言的；年龄越小者该比例会增加）

对快速眼动睡眠的需求

人与人之间对睡眠的需求差异很大，
拥有充足的快速眼动睡眠对于身体健康而言极其重要。

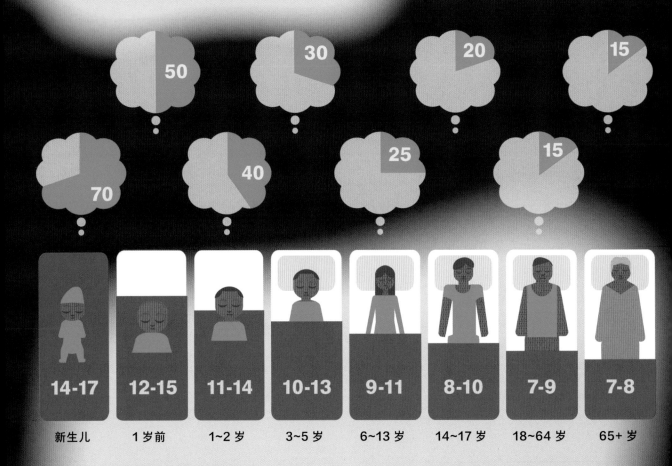

| 14-17 | 12-15 | 11-14 | 10-13 | 9-11 | 8-10 | 7-9 | 7-8 |
| 新生儿 | 1岁前 | 1~2岁 | 3~5岁 | 6~13岁 | 14~17岁 | 18~64岁 | 65+岁 |

做梦时间

在进行睡眠测试的过程中，给人们做脑电图并测定身体的其他功能，然后在快
速眼动睡眠时把他们唤醒——他们通常会说他们正在做梦。梦可以是让人安心
的、古怪的、令人心神不宁的或者就是真正的噩梦。脑电图和扫描显示脑的哪
几部分参与了做梦的过程。然而，对梦进行解读是严谨的科学行为，它还有很
长的路要走。

 每晚推荐睡眠时间[1]

 快速眼动睡眠时间占总
睡眠时间的比例（%）

1　美国国家睡眠基金会指南

睡觉时哪些部位很忙碌？

昏昏欲睡的青少年

这是官方资料：青少年在上午起床真的有困难。研究表明，在青少年时期，人体生物钟和昼夜生物节律的运行往往要延迟一两个小时。

安静

1	运动中枢
2	触觉中枢
3	初级视觉中枢
4	听觉中枢
5	额叶：抑制意识的输入

活跃

6	嗅觉中枢：强烈的气味可以唤醒做梦者
7	相关视觉区：梦的意象
8	丘脑：过滤许多输入皮质的感觉信息
9	杏仁核：记忆与情绪联系
10	海马体：短期的梦中记忆丧失
11	延髓：维持基本的生命

生长着的身体
GROWING BODY

婴儿出生前的准备

生命的规则是："所有的细胞都来源于其他细胞"的分裂或有丝分裂。新生命的形成过程是相同的，但伴随着曲折。体内的每个细胞都有两套遗传物质。婴儿是从卵细胞和精子细胞长成的。如果这两种细胞每种都有两套染色体，那么结果就会生成一个四倍体。所以二倍体必须减半变成单倍体的精子和卵子，然后它们融合为二倍体，成为新的婴儿的开始。这是一种特殊类型的细胞分裂——减数分裂，产生卵子和精子。

男性中配子的形成

分裂间期

形成染色体对的 DNA 进行复制。结果是生成两组 23 对染色体。

减数第一次分裂前期 / 分裂中期

染色体变得可见。某些染色体可能与它们的同源染色体进行片段的交换（杂交）从而产生遗传学变异，核膜解体。染色体排列在细胞的中心或者赤道板上。

减数第一次分裂后期 / 分裂末期

成对的染色体分开，每一对分别进入各自的新的细胞。每个姐妹细胞重新形成了核膜。原来的一个细胞已经分裂成了两个，每个细胞都有一套染色体。

女性中配子的形成

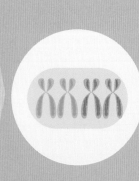
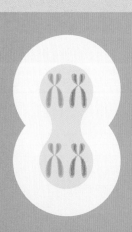

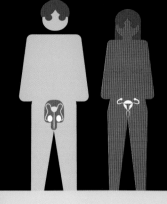

雄配子叫作精子，含有 23 条染色体，是形成合子所需数目的一半，合子是一个新生命的第一个细胞。

雌配子叫作卵子（或者蛋），含有 23 条染色体，是形成合子所需数目的一半，合子是一个新生命的第一个细胞。

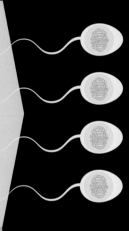

减数第二次分裂前期 / 分裂中期

核膜解体。染色体在细胞中心或赤道板处随机排列。

减数第二次分裂后期 / 分裂末期

染色体对分离，各自进入新的细胞。每个姐妹细胞重新形成了核膜。

最初的细胞已经分裂成四个，每个细胞只获得每种染色体中的一个染色体。一个原始的雄性细胞产生四个精子。一个原始的雌性细胞产生一个卵子以及三个极体（含有"备用"的染色体）。

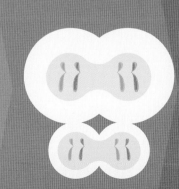

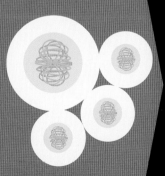

卵子的产生

当两个性细胞——卵子和精子——结合在一起开始创造一个新的婴儿的时候，贡献了相等份额的基因。卵子和精子每个都有 23 条染色体，每一条染色体都是由一整条 DNA 构成的。但是成熟性细胞的产生过程很不一样。在女性，性细胞的产生从青春期开始，在月经周期中每 28 天产生一个，并在更年期终止。与此截然不同的是精子的生成，它是 24 小时 / 7 天不间断的过程，但生成能力会随着年龄增长而逐渐减退。

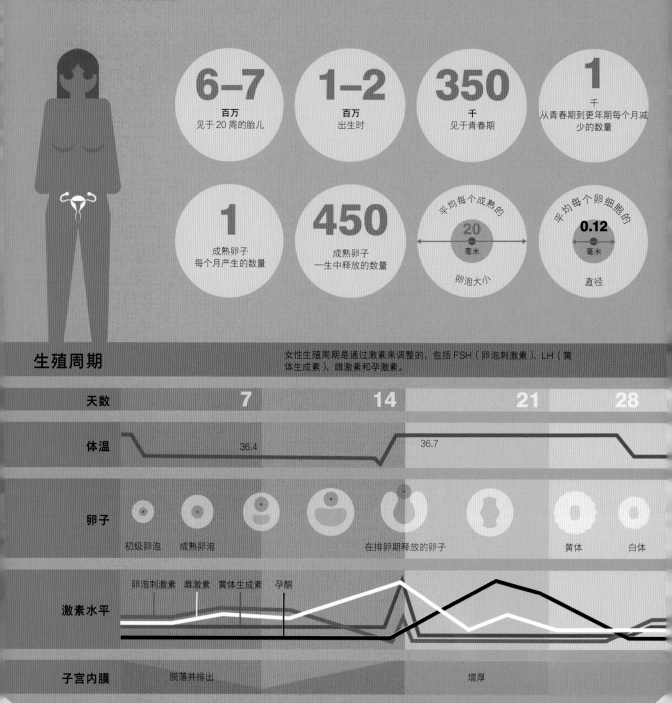

6–7
百万
见于 20 周的胎儿

1–2
百万
出生时

350
千
见于青春期

1
千
从青春期到更年期每个月减少的数量

1
成熟卵子
每个月产生的数量

450
成熟卵子
一生中释放的数量

平均每个成熟的
20
毫米
卵泡大小

平均每个卵细胞的
0.12
毫米
直径

生殖周期

女性生殖周期是通过激素来调整的，包括 FSH（卵泡刺激素）、LH（黄体生成素）、雌激素和孕激素。

天数		7		14		21	28
体温		36.4		36.7			
卵子	初级卵泡　成熟卵泡			在排卵期释放的卵子		黄体	白体
激素水平	卵泡刺激素　雌激素　黄体生成素　孕酮						
子宫内膜	脱落并排出			增厚			

精子的产生

男性的性细胞即精子，它的生成是一个持续的过程且数目巨大，睾丸内每天有数以百万计的精子生长和成熟。这条生产线始于青春期，然后每时每刻都在进行，直到它随着年龄增大而逐渐减少。然而，男性到了 70 多岁或 80 多岁仍然有能力通过自然的方式生出孩子。

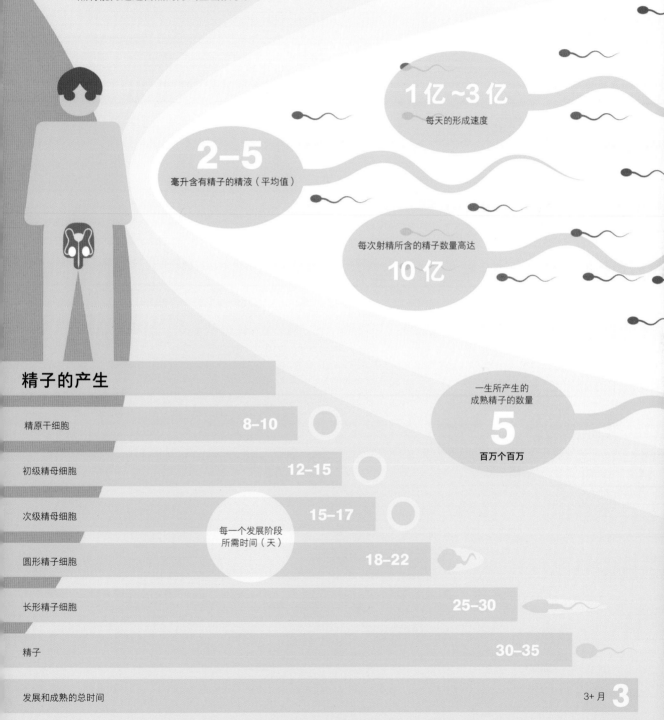

1 亿 ~3 亿
每天的形成速度

2–5
毫升含有精子的精液（平均值）

每次射精所含的精子数量高达
10 亿

一生所产生的
成熟精子的数量
5
百万个百万

精子的产生

精原干细胞	**8–10**	
初级精母细胞	**12–15**	
次级精母细胞	**15–17**	
圆形精子细胞	**18–22**	
长形精子细胞	**25–30**	
精子	**30–35**	
发展和成熟的总时间		3+ 月 **3**

每一个发展阶段
所需时间（天）

新生命开始了

卵细胞和精子融合后开始形成一个新生命的过程，称为受精——也叫怀孕，更可以称为有性生殖。这个过程通常发生在输卵管，它把卵巢和子宫相连通，卵子从卵巢而来，而子宫就是胎儿发育生长的部位。成功结合卵子的精子不仅仅是一百万个中的一个，更可能是十亿个中的一个。它所有的同伴几乎都不能与卵子相遇，并且一旦一个精子接触到卵子，卵子就会阻止让其他更多的精子进入。怀孕时精子和卵子的结合开启了令人惊叹的生长和发育过程，九个月之后，就形成了一个皱巴巴、哭喊着的小小人类。

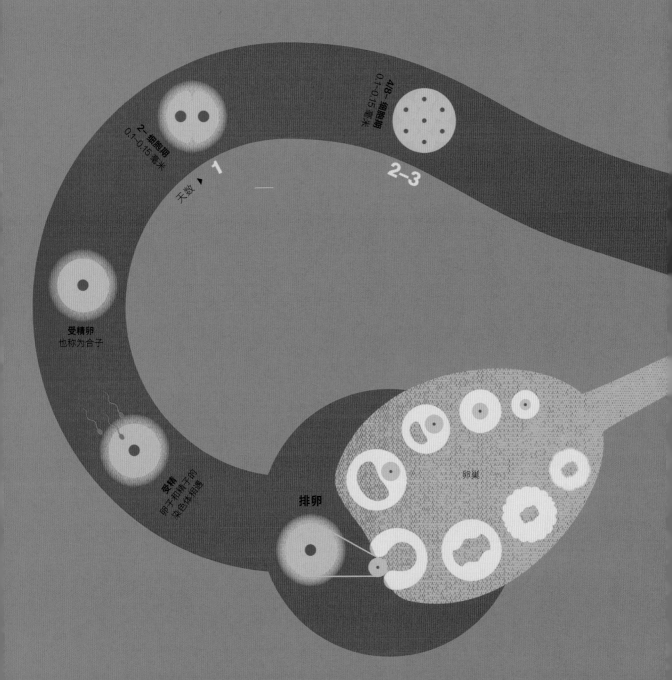

受精的阶段

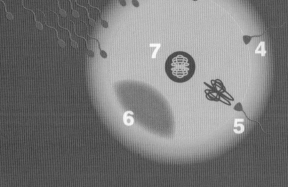

1	只有几百个精子到达卵子所在的位置
2	许多精子试图接触卵子
3	Cap（顶体）释放酶溶解透明带和卵子外膜
4	精子头部与卵子外膜融合
5	精子细胞核中的染色体进入卵子
6	卵子的透明带和外膜变硬，防止更多的精子与之融合
7	精子和卵子的染色体聚集在一起，受精卵为第一个分裂准备

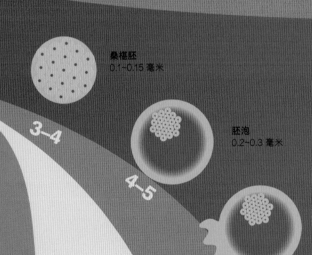

桑椹胚
0.1~0.15 毫米

胚泡
0.2~0.3 毫米

胚泡植入
胚泡的外层细胞植入子宫内膜

早期胚胎
出现脑、心和血管的最初迹象

实际大小
2 毫米

妊娠时间轴

宝宝生长的部位非常特别，是子宫。但它并不是一直处于平静、安宁的状态。在上方是母亲心跳的怦怦声，旁边还有她的动脉中血液流动的呼呼声。明亮的光线会透过皮肤和子宫壁。突然的噪声也会惊吓到宝宝，所以他会击拳或踢脚。宝宝的身体变大就意味着更拥挤，所以母亲四处走动的时候，他会受到挤压。

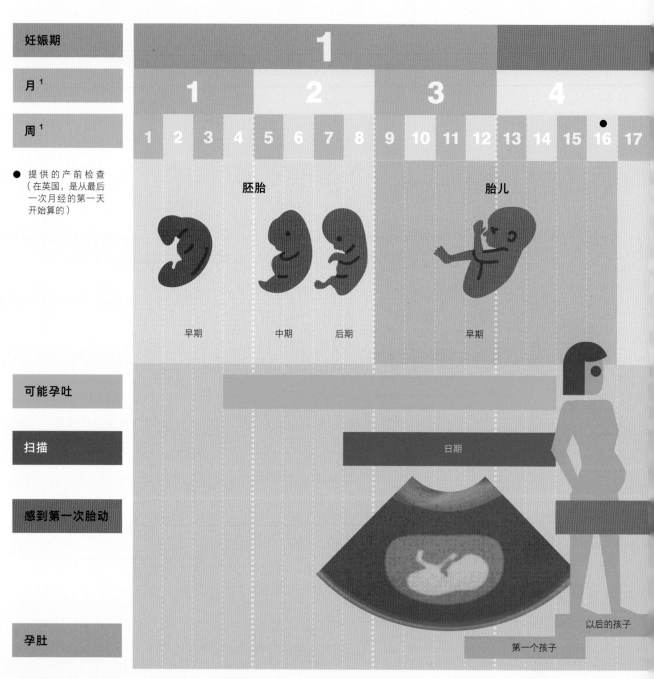

1　指从卵子和精子完成受精开始算的时间。一些时间轴是从妊娠前两周母亲的最后一次月经周期开始算的，总计 40 周。

妊娠试验的准确性

测试怀孕 6 天后母亲尿液中的 hCG 激素水平

准确率 %	60	90	97
怀孕天数	10	14	18

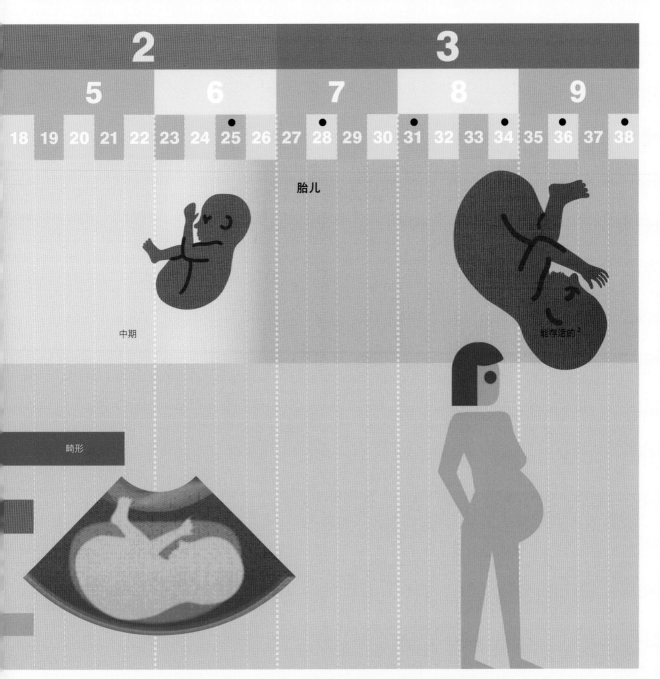

胎儿

中期

能存活的[2]

畸形

2　不同部门对存活期和围产期的定义是不一样的，这取决于诸如新生儿护理的改进和在一定的发育阶段中有希望存活下来的婴儿比例的提高。

尚未出生的婴儿

增多、移动、特化：出生前九个月的每一分钟里都会发生这些变化。胚胎中的数百个细胞增多，变成数千个，然后变成数百万个。它们也会进行物理性的移动或迁移，形成褶皱、团块和薄片，逐渐构成器官的形状。并且它们会分化，也就是说，它们从早期普通的全能干细胞变成了特殊的不同种类的细胞，如骨细胞、肌细胞、神经细胞和血细胞。

4

- 心脏每分钟跳动 120~140 次
- 头部的眼点
- 形成肌肉，产生一些动作
- 手臂芽出现
- 尾巴出现

4 毫米

25 厘米²

24

- 心脏每分钟跳动 150 次
- 头是身体全长的四分之一
- 眼睛能睁开
- 可能出现吸吮拇指的行为
- 可能形成早期记忆

8 周[1]

- 面部特征能被识别
- 头部和躯干同样大小
- 形成手指和脚趾
- 尾巴缩短
- 从胚胎进入胎儿阶段

15 毫米

16

- 可识别的人类面孔
- 所有的器官都形成了
- 下颌出现乳齿芽
- 所有的骨头都有了形状，虽然主要是软骨
- 脂肪开始在皮肤下积聚

60 毫米

45–48 厘米

36

- 胎毛（最初生长的柔软毛发）脱落
- 指（趾）甲可以生长超出手指和脚趾
- 咳嗽和打嗝变得常见
- 宝宝准备好出生了
- 体重 3+ 干克

1　指从卵子和精子完成受精开始算的时间。有些时间轴是从妊娠前两周母亲的最后一次月经周期开始算的，总计 40 周。

2　因为"胎儿"的姿势通常是蜷曲着的，所以胚胎 / 胎儿的长度通常是指头臀长，即从头顶到臀底部的距离。

诞生之日

生孩子所用的时间是极其不一样的，从小于一小时到超过 24 小时不等；生第二个孩子所花的时间要少 30%~40%，之后再生孩子所需时间可能还会再减少 10%~20%。在发达国家，出生统计数字正在受到更多的辅助性、介入性、有管理的生产方式的影响，尤其是引产和剖腹产（剖宫产）。这意味着如今在星期天出生的婴儿要比在工作日出生的少，并且婴儿出生数量最少的那一天常常是 12 月 25 日。

器官的生长

与成人相比，婴儿的脑和眼睛所占的比重很大。但即使如此，胸部的胸腺要比它们重——已经要比成年时的胸腺重一半多了。
器官占成人体重的百分比（%）

5 整个身体

25–30 脑

60 胸腺

30 眼

8 消化道

5 心脏

骨

初为人母的分娩时间表

整体的平均时间为 12~14 小时。第二个及以后的孩子的出生时间通常更短，为 6~8 小时。

产程 **1**	按小时计的时间：	**6-8**

1 期：早期子宫收缩的强度和频率逐渐增加

2 期：活跃期

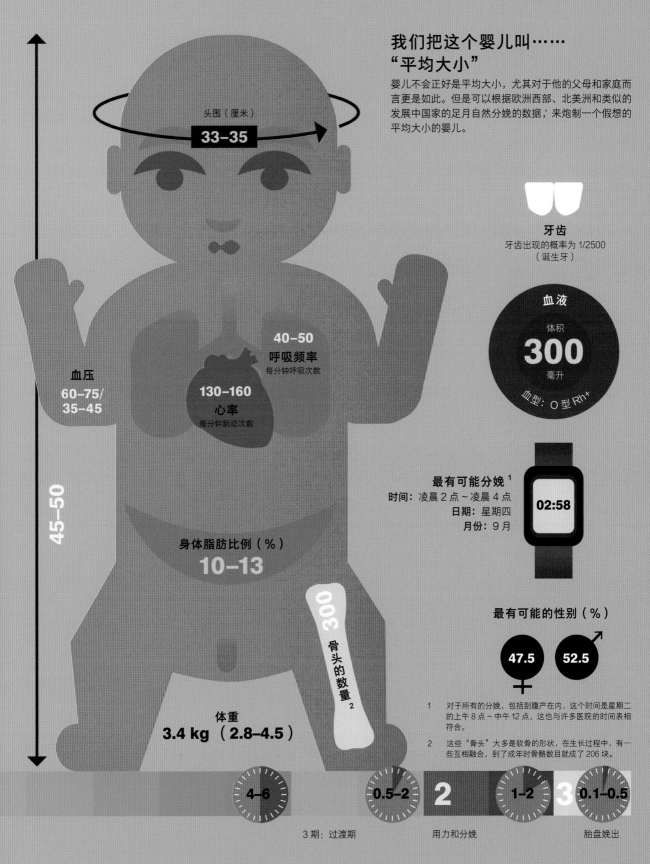

我们把这个婴儿叫……
"平均大小"

婴儿不会正好是平均大小，尤其对于他的父母和家庭而言更是如此。但是可以根据欧洲西部、北美洲和类似的发展中国家的足月自然分娩的数据，来炮制一个假想的平均大小的婴儿。

头围（厘米）
33–35

血压
**60–75/
35–45**

40–50
呼吸频率
每分钟呼吸次数

130–160
心率
每分钟跳动次数

45–50

身体脂肪比例（%）
10–13

体重
3.4 kg（2.8–4.5）

300
骨头的数量 [2]

牙齿
牙齿出现的概率为 1/2500
（诞生牙）

血液
体积
300
毫升
血型：O 型 Rh+

最有可能分娩 [1]
时间：凌晨 2 点 ~ 凌晨 4 点
日期：星期四
月份：9 月

02:58

最有可能的性别（%）

47.5 ♀   52.5 ♂

1　对于所有的分娩，包括剖腹产在内，这个时间是星期二的上午 8 点 ~ 中午 12 点，这也与许多医院的时间表相符合。

2　这些"骨头"大多是软骨的形状，在生长过程中，有一些互相融合，到了成年时骨骼数目就成了 206 块。

4–6   0.5–2   **2**   1–2   **3**   0.1–0.5

3 期：过渡期　　　　用力和分娩　　　　胎盘娩出

191

从婴儿到孩童

每一个婴儿和孩童都按照自己的速度来成长、发展。早早掌握某种能力或技巧并不能断定可以早早掌握其他能力，也不是最终的能力水平。某些起步比较慢的孩子在以后会跑在前面，反之亦然。其他能力的发展也没有固定的规律。想偶尔担心一下，"里程碑"式的时间点或许有用。让人能安下心来的是，绝大多数孩子最终会掌握这些能力。

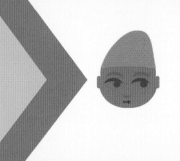

15

- 词汇量增加到 4 至 8 个
- 玩球
- 画随机简单的线条
- 通过帮助可能会向后退着走

12

- 模仿别人的动作
- 用手势表示需要
- 会说更多一些的词语
- 能走几步

18

- 独自一人"读"书
- 开始把词汇组成短语
- 用涂鸦来表达
- 搭建简单的积木塔

21

狗

- 能走上台阶，但要有人照看着
- 从图片中能说出猫、狗等物体的名称
- 踢球
- 能说含有 2~3 个词的短语

5

- 单足跳或交替跳、荡秋千、攀爬
- 用不同的动词来说出完整的句子，例如：未来和过去、单数和复数
- 模仿简单的形状如圆形、三角形

2

- 发出咯咯、咕咕的声音
- 能短时间内抬着头
- 眼睛跟着移动的物体转
- 用微笑做出回应

4

- 用咕咕声回应讲话
- 能更长时间地抬着头
- 能承受腿上的重量
- 抓握物体

■ 月

9

妈妈

- 组合音节，发出类似词语的声音
- 能扶着支持物站立
- 敲打东西、乱扔东西
- 可能嘴里会发出"妈妈"的声音

6

- 把头转向声音处
- 在两个方向上翻身
- 够到东西，往嘴里放
- 不用扶就能坐稳

2

我我我

- 说出娃娃、动物玩具上的身体部位的名称
- 开始谈论自己
- 把东西分类
- 可能会开始跳

2.5

- 通过他人帮助会刷牙齿
- 以刻意的角度画线条
- 能穿容易穿的衣服
- 能单只脚站立保持短暂的平衡

■ 岁

4

1 2 3 4

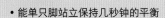

- 理解简单的计算
- 能在很长时间内抓着球
- 捣碎并吃下自己的食物
- 画画时开始模仿图案

3

- 能单只脚站立保持几秒钟的平衡
- 把 4~6 个词语组进句子中
- 说出动作的名称，如简单跳跃、交替跳跃、滚动
- 在白天会使用便盆

成长

从婴儿期到幼年期再到成长中的孩子、青少年和年轻的成人，这是一个奇妙的成长历程。

从出生开始，身高增加了三到四倍，体重增加了 20 多倍。

但是，出生时身体各个部位的相对大小和成年时的比例一点都不一样，而且它们生长的速度也不同。

生长曲线图

一个孩子位于第五十百分位时，意味着 100 个同等年龄的孩子中有一半的人会比他高或重，另外一半的人比他矮或轻。同样地，对于第九十个百分位而言，有 10 个人会比他高或重，90 个人比他矮或轻。

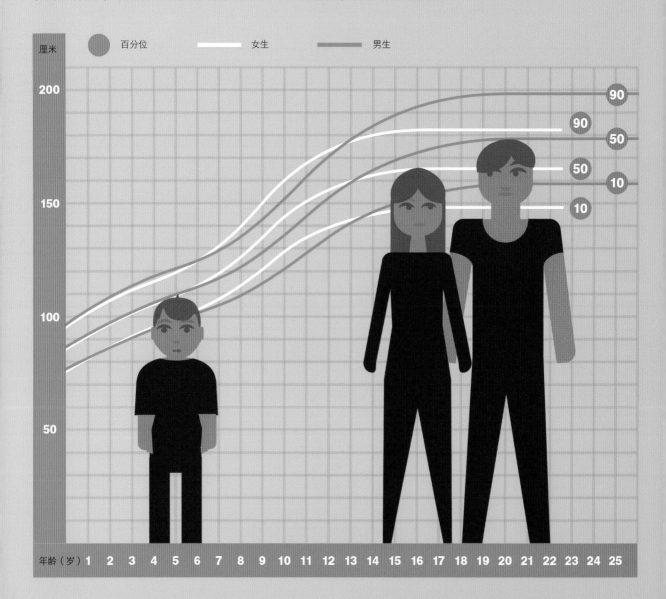

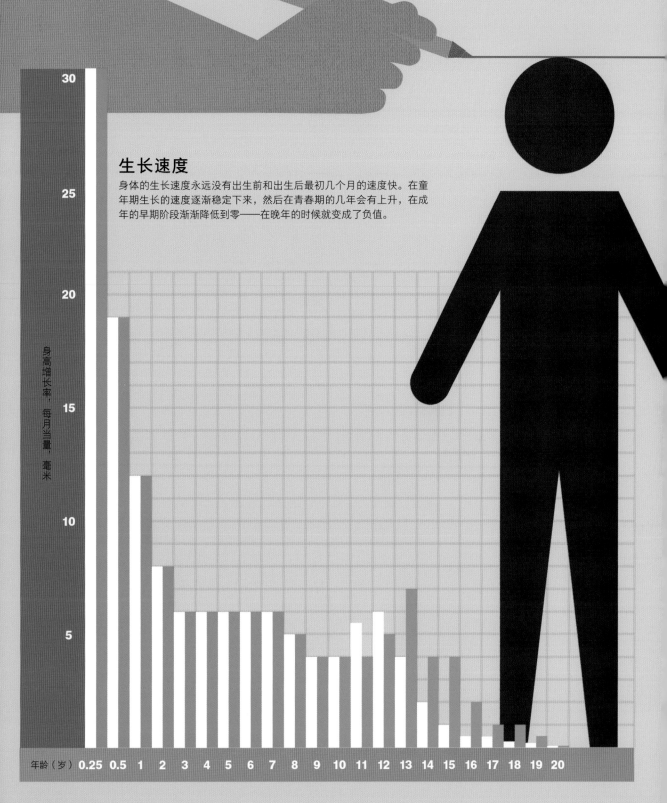

生长速度

身体的生长速度永远没有出生前和出生后最初几个月的速度快。在童年期生长的速度逐渐稳定下来，然后在青春期的几年会有上升，在成年的早期阶段渐渐降低到零——在晚年的时候就变成了负值。

身高增长率，每月当量，毫米

年龄（岁）　0.25　0.5　1　2　3　4　5　6　7　8　9　10　11　12　13　14　15　16　17　18　19　20

人能活多久?

预期寿命是复杂的。有些人给出了一张在一定时间内一般人群预计寿命的"快照"。其他则按照性别和年龄进行分类,所以女性预计要比男性活得更长久一些,并且从年轻到老年的预计寿命也不一样。还有一些人对在具体日期——任意日期出生的婴儿做了预测。一般来说,所有这些预测寿命正在变得越来越长。当然,人们住在哪里、他们的健康史同样也是非常重要的,还有——相当重要的——是他们的财富状况。

79
北美洲

🇺🇸

79

全球平均寿命(岁)

当今出生的 女孩 **73**

当今 60 岁的 女性 **82**

在死亡率会产生重大损失时,新生儿和儿童的生存率提高,尤其是对欠发达地区而言,所以全球平均寿命明显提高。

当今出生的 男孩 **68**

当今 60 岁的 男性 **79**

Ⓧ **国家平均寿命**
从现在的婴儿出生时开始算,按岁计,这是根据 2012 年至今这几年的数据得到的估计值。

75
中美洲 & 南美洲

80

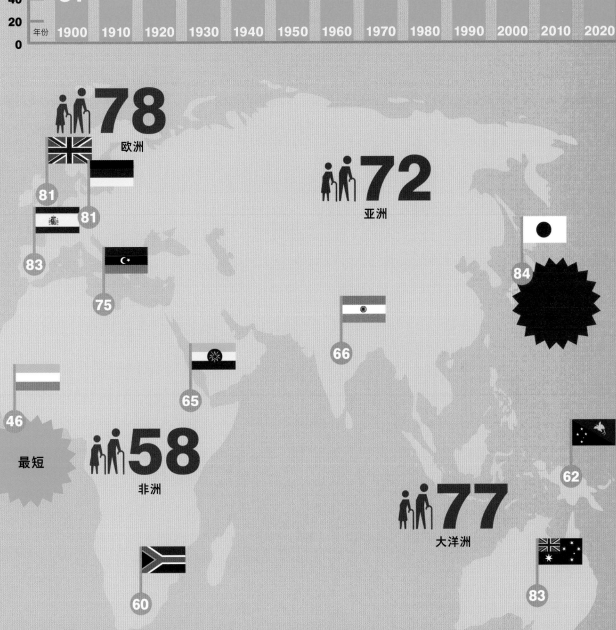

一直在变化的预期寿命

这些统计数据是针对英国而言的，但在欧洲西部和其他发达地区也很相似。

年份	1900	1910	1920	1930	1940	1950	1960	1970	1980	1990	2000	2010	2020
	51	53	57	61	61	68	72	73	75	76	78	80	82

78 欧洲

81

81

83

75

46 最短

65

58 非洲

60

72 亚洲

84

66

62

77 大洋洲

83

从出生开始算的地区平均寿命（岁）

针对现在出生的婴儿而言，是根据 2012 年至今这几年的数据得到的估计值。

有多少个新生命?

每分钟内全世界有 255 个婴儿新出生,也就是说,每秒钟出生的婴儿超过四个。

但这不等于全球人口增长率,因为它被每分钟 105 人死亡给平衡了。

所以,这个世界上每分钟增加额外的 150 个人,或者每天 21 万个——这是一个大城市中的人口数目。这听起来很大,但已经比几十年前的人口增长率要低了。

8
13
0.4
1.8

北美洲

占全世界人口的百分比,%

每 1000 人中的出生率

自然人口增长率,用出生率减去死亡率,%

生育率,平均每个母亲生育的婴儿数目

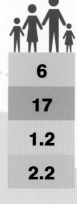

6
17
1.2
2.2

中美洲 & 南美洲

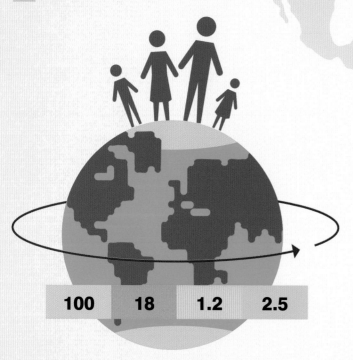

| 100 | 18 | 1.2 | 2.5 |

全世界

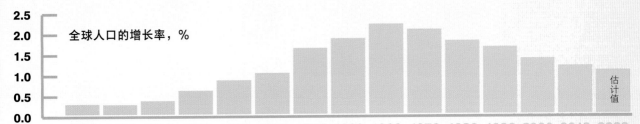

全球人口的增长率，%

1500	1600	1700	1800	1900	1925	1950	1960	1963	1970	1980	1990	2000	2010	2020

估计值

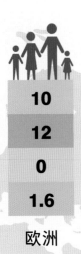

| 10 |
| 12 |
| 0 |
| 1.6 |

欧洲

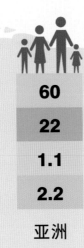

| 60 |
| 22 |
| 1.1 |
| 2.2 |

亚洲

世界人口增长率（%）

在 20 世纪 60 年代初，地球上人口诞生的速度达到了顶峰。近几年来，新出生婴儿的数目保持得相当稳定，每年约为 1 亿 3000 万至 1 亿 3500 万。然而，增长率一直在降低，因为人口总数在上升，这些婴儿占总人口的比例在下降。

| 15 |
| 38 |
| 2.5 |
| 4.7 |

非洲

| 1 |
| 14 |
| 1.1 |
| 2.4 |

大洋洲

全世界的婴儿

出生率受到许多因素的影响，从当地的习俗和传统到宗教、经济条件和政府的规定，如一对夫妇只生一个孩子。

人口数量有多少?

每16个曾在地球上生活过的人中,大概只有一个今天还活着。虽然人口增长率在下滑,因为总人口不断增加,出生数目所占的比例越来越小,但是就出生数量而言,人口的增长是稳定的。人口数目是否即将到达上限?许多人认为,我们已经是在非可持续性地生活,即使人类的足智多谋暂时能够找到快速解决农业和技术中的问题的办法,但是最终这一切会终止。

全球人口

在一定的时间内,全球人口的数量,除了几次短暂的停滞外,一直在增加——而且增加得越来越快。

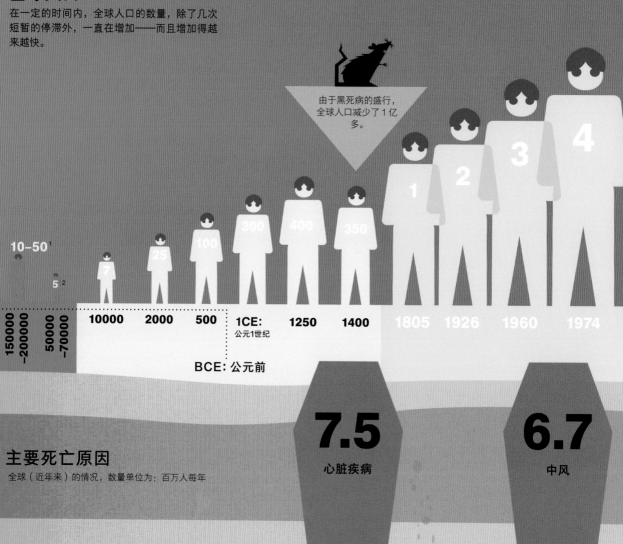

由于黑死病的盛行,全球人口减少了1亿多。

10–50 [1]

5 [2]

7 · 25 · 100 · 300 · 400 · 350 · 1 · 2 · 3 · 4

150000–200000 · 50000–70000 · 10000 · 2000 · 500 · 1CE: 公元1世纪 · 1250 · 1400 · 1805 · 1926 · 1960 · 1974

BCE: 公元前

主要死亡原因

全球(近年来)的情况,数量单位为:百万人每年

7.5 心脏疾病

6.7 中风

1   我们物种的"创始者"是非洲东部地区的智人,这里指他们的人口数目。

2   遗传、化石和气候证据表明存在一个"多峇瓶颈期",那时候因为位于苏门答腊岛多峇湖的超级火山喷发,现代人(我们自己)和许多其他生命的数量大幅度地缩减了。

十亿
百万
千

5 **1987**
6 **1999**
7 **2011**
8 **2028**
9 **2045**
10 **2070**

3.1
慢性阻塞性
肺疾病
（肺气肿、慢性
支气管炎等）

3.1
下呼吸道
感染
（肺炎、急性支
气管炎等）

1.6
肺部和
呼吸道癌症

医学身体
MEDICAL BODY

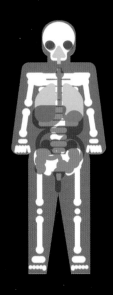

健康状况不佳的原因

根据世界卫生组织的定义："健康是指身体、精神和社会适应上处于完好的状态，而不仅仅是没有疾病或不虚弱。"

健康状况不佳可以分为很多种类型，它们的原因往往相互重叠，这些原因可分为以下几类。

生活方式 & 环境

缺乏锻炼尤其会导致
心脏疾病、中风、糖尿病、癌症和抑郁症
吸食烟草
是导致健康状况不佳的重要原因
环境因素包括
吸入和接触毒素、卫生条件差引起的感染、噪声过大、轮班
工人打乱的作息、艰难的社会条件
心理问题包括
压力、焦虑、抑郁

肿瘤 & 癌症

当细胞增殖失控时，就形成了肿瘤
良性肿瘤是自限性的，恶性肿瘤或癌症则不断扩
散或转移
原因和诱因多样，从致癌物质（如烟草烟雾）到
辐射（强烈的阳光、X射线）、细菌、不良饮食

免疫系统 & 过敏

身体的免疫防御系统错误地开始攻击自身的细胞
和组织，这叫自身免疫性疾病。这是许多其他病
因的一个因素。
例子有
花粉热、食物过敏、I型糖尿病

感染 & 传染

由病原微生物和寄生虫引起
病原微生物的主要种类是
细菌、病毒和原虫
感染性疾病包括
疖和莱姆病（细菌）、感冒和埃博拉出血热（病毒）、
疟疾和昏睡病（原虫）
寄生虫包括
体内的蛔虫、绦虫和吸虫，体表的跳蚤、虱子和
蜱虫

损伤 & 创伤

可能是意外或蓄意暴力所致
可发生在任何地方：家中、旅途中、工作时、休闲时
可能会产生持续性的问题

变性

身体的细胞、组成部分和系统渐渐磨损而替换不足
例子包括
骨性关节炎（物理关节）、阿尔茨海默病（神经细胞）、黄斑
变性（眼部组织）

营养

不健康的饮食或过度饮食
会有助于肥胖和许多疾病的产生，并且直接导致其他疾病
营养不良
导致大量的健康问题，如维生素缺乏
不注重卫生和糟糕的食品制作方法
可能引起食物中毒
过分放纵
比如酗酒，和许多健康问题有关联

代谢 & 生理

身体的无数化学过程中的问题
从饮食到遗传和环境的原因
包括卟啉病、酸中毒、血色病

基因 & 遗传

缺陷基因可能由遗传获得或者是由体内的突变
导致
有些是以相对简单的方式遗传获得的，如镰刀状
细胞贫血病、囊性纤维化
许多疾病的遗传因素或趋势不太明显，如乳腺癌、
精神分裂症

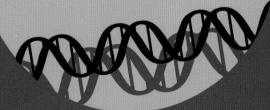

哪里觉得不舒服?

诊断(Dx)与辨认或确定生病的本质和原因相关。所有的医生都会下诊断,但对于一些比较专业的领域,下诊断的就得是诊断专家了。绝大多数医务人员会承认说,诊断在一定程度上是一门科学,涉及对病因和影响的理性思考、逻辑性的选择和淘汰——在另一种程度上它又是一门艺术,需要依靠猜想和直觉。

腹部疼痛

腹部装满了身体的零件和器官。
确定疼痛的部位能为它的源头提供线索,并有助于诊断。对疼痛的描述也很重要:钝痛或锐痛、持续性疼痛或痉挛性痛、烧灼样痛或刺痛、与饮食或运动相关的痛。为了更好地确定疼痛部位,我们把躯干分成若干象限和区域。

左季肋区
- 脾脓肿、肿大、破裂
- 左肺或心脏有可能受累

脐区
- 小肠、麦克尔憩室
- 淋巴结、淋巴瘤
- 早期阑尾炎

右髂区
- 阑尾、阑尾炎
- 大肠、克罗恩病
- 卵巢囊肿、炎症 / 感染
- 疝气

就医

日本   **2.3**

德国   **3.9**

法国   **3.2**

加拿大   **2.1**

澳大利亚   **3.3**

英国   **2.8**

美国   **2.5**

每千人医生数[1]

平均每年去看全科医师的次数[2]

腹上区
- 食管炎症、狭窄
- 胃部炎症（胃炎）、溃疡、胀气、食物中毒
- 胰腺炎症（胰腺炎）

右腰区
- 右肾炎症、感染（肾盂肾炎）
- 输尿管绞痛（肾结石在输尿管中嵌顿）

左髂区
- 大肠溃疡性结肠炎、憩室炎、便秘
- 卵巢囊肿、炎症／感染
- 疝气

右季肋区
- 病毒性肝炎、肝脓肿
- 胆囊炎症（胆囊炎）、胆结石
- 右肺或心脏可能受累

左腰区
- 左肾炎症、感染（肾盂肾炎）
- 输尿管绞痛（肾结石在输尿管中嵌顿）

腹下区
- 膀胱炎症、结石、尿潴留

1 指的是所有的有官方资质的医生
2 指的是有官方资质的初级保健医生。在老年人口比例越高的国家，人们就医的次数就越多

医学调查

1895年X射线的发现打开了非侵入性医学成像新世界的大门。随后不久，在1901年，测量心脏电脉冲的技术，即ECG，得到了发展。如今，十余种X射线成像和扫描方式被应用于诊断各种问题，从舌下的回形针到动脉瘤狭窄或肿瘤生长。ECG的原理已经得到延伸，被应用于大脑、眼和其他器官。

辐射暴露
几乎在X射线被发现的同时，人们就知道了它们的有害影响。限定患者（和经常处于暴露环境中的员工）接受的X射线辐射的剂量。大多数地区制定了法规，

0.1~1 机场扫描仪
3000 年平均环境暴露量
20000~30000 全身CT

CT扫描

核素扫描

X光片

冠状动脉造影

EEG 脑电图 脑 0.1

ECG 眼电图 眼球、喉部肌肉 0.1-1

ERG 视网膜电图 眼、视网膜 0.5

脑 2000

牙齿 5

甲状腺 4800

甲状腺、乳腺、骨盆 5000~7000

心脏 16000

ECG 心电图 心脏 1-2

ECG 肌电图 肩部 0.005~0.01

乳房X光造影 400

胸部 100

手掌 10

X射线	**1895**
X射线对照成像	**1896**
心电图	**1901**
超声	**1949**
C（A）T 计算机（轴向）断层扫描	**1972**
PET 正电子发射断层扫描	**1973**
磁共振成像	**1977**

腹部 骨盆 **15000**

肌肉、关节韧带 **10000~15000**

腹部，胎儿 **2500-3500**

常用电压 mV²

某些...导电范围 0.05~30

常用波长频率 kHz

电流记录

传感器垫片或触点与体表相接触，它们检测由脑、神经、心脏和身体其他部位发放的自然的微小的电脉冲。

超声

声波的频率极高以至于我们的耳朵无法听到，这就是超声。我们可以对它们进行调整，从而显示身体不同部位的图像。

1 kHz=千赫兹 = 每秒 1000 次声波

10 老年人的听觉上限
20 年轻人的听觉上限
60 狗的听觉上限
200 蝙蝠的听觉上限
2500~15000 医用超声

核磁共振成像

核磁共振成像是一种通过使用极其强大的磁场使体内一部分原子排列整齐的成像技术。

特斯拉是磁场强度的单位，或更专业地说，是磁通量密度，即韦伯每平方米（千克每平方秒每安培）。

0.00005 地球自然磁场
0.005 冰箱贴
1 废品堆放场回收的磁铁
1.5~3 常用 MRI 扫描仪（人类）
7~15 高场强 MRI 扫描仪（动物）
50+ 科研用磁铁

1 mV = 毫伏 =0.001 或千分之一 伏特
2 这些设备中，有许多测量的是电压的变化，而不是产生的电压
3 包括 GSR，即皮肤电反应。测量皮肤的导电性，而不是它产生的导电能，这与多种波动描记器或 "测谎仪" 的原理类似

外科医学

手术——在身体上进行操作并改变身体——已经不再局限于"手术刀下"。它可以包括注射、化学物质、激光和许多其他过程。全球的手术率相差很大，这在一定程度上反映了每个国家的健康问题、年龄结构以及健康和医疗标准的情况。例如，脂肪抽吸术（移除脂肪）倾向于在发达国家进行，而白内障手术相对多见于老年群体。

手术量有多少？

一年内进行一次以上外科手术的人口比例。

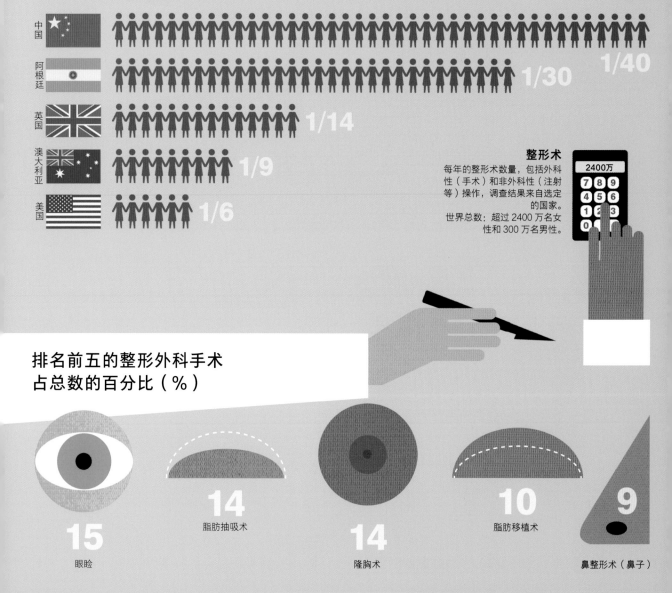

中国 1/40

阿根廷 1/30

英国 1/14

澳大利亚 1/9

美国 1/6

整形术

每年的整形术数量，包括外科性（手术）和非外科性（注射等）操作，调查结果来自选定的国家。
世界总数：超过 2400 万名女性和 300 万名男性。

2400万

排名前五的整形外科手术占总数的百分比（％）

15 眼睑

14 脂肪抽吸术

14 隆胸术

10 脂肪移植术

9 鼻整形术（鼻子）

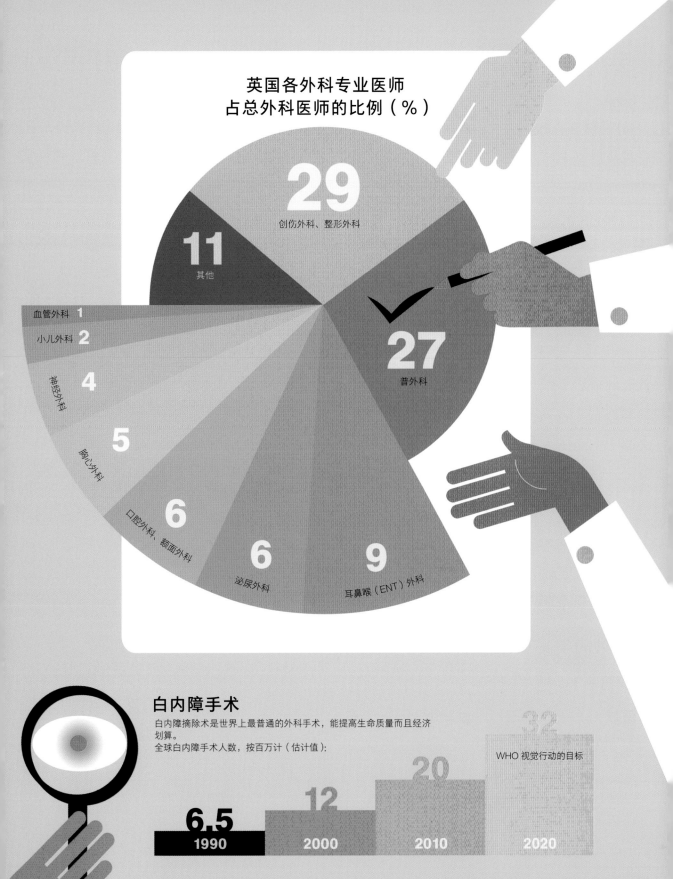

英国各外科专业医师
占总外科医师的比例（%）

29
创伤外科、整形外科

11
其他

27
普外科

血管外科 **1**

小儿外科 **2**

神经外科 **4**

胸心外科 **5**

口腔外科、颌面外科 **6**

泌尿外科 **6**

耳鼻喉（ENT）外科 **9**

白内障手术

白内障摘除术是世界上最普通的外科手术，能提高生命质量而且经济划算。

全球白内障手术人数，按百万计（估计值）：

32

WHO 视觉行动的目标

6.5
1990

12
2000

20
2010

2020

医疗药物

药物实际上是除了普通饮食外的其他任何会引起身体变化的东西。

药物有很多种,从救命的抗生素和"溶栓药",到危及生命的被滥用药物。每年全球批准通过的药物越来越多,且药品费用增长也越来越快。随着对疾病和遗传学的理解更加深入,以及定制药物的合成方式越来越快而且更便宜,预计我们即将迎来"个性化医疗"的新时代。

处方药和药物分类

全球七种常见的处方药,按照通用(化学)名称、类别或治疗作用来分类。

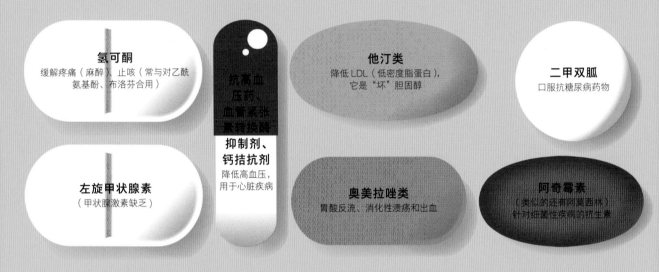

氢可酮
缓解疼痛(麻醉)、止咳(常与对乙酰氨基酚、布洛芬合用)

抗高血压药、血管紧张素转换酶抑制剂、钙拮抗剂
降低高血压,用于心脏疾病

他汀类
降低 LDL(低密度脂蛋白),它是"坏"胆固醇

二甲双胍
口服抗糖尿病药物

左旋甲状腺素
(甲状腺激素缺乏)

奥美拉唑类
胃酸反流、消化性溃疡和出血

阿奇霉素
(类似的还有阿莫西林)针对细菌性疾病的抗生素

改变世界的医疗药物

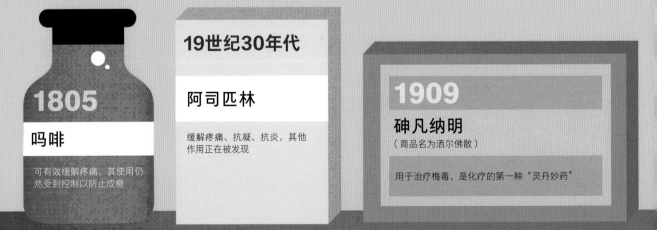

1805

吗啡

可有效缓解疼痛,其使用仍然受到控制以防止成瘾

19世纪30年代

阿司匹林

缓解疼痛、抗凝、抗炎,其他作用正在被发现

1909

砷凡纳明
(商品名为洒尔佛散)

用于治疗梅毒,是化疗的第一种"灵丹妙药"

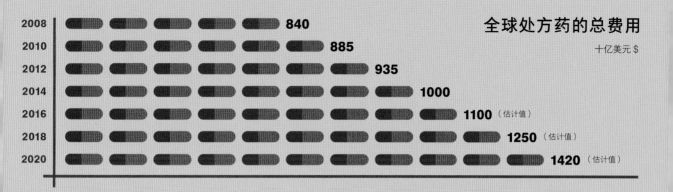

全球处方药的总费用

十亿美元 $

年份		费用
2008		840
2010		885
2012		935
2014		1000
2016		1100 （估计值）
2018		1250 （估计值）
2020		1420 （估计值）

品牌处方药

全球七种畅销药物的品牌或商标名，以及它们的通用名或化学名（括号内），是按照近年（自 2012 年开始算）的平均销量选择的。

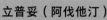

立普妥（阿伐他汀）
降低 LDL 胆固醇

**耐信
（埃索美拉唑）**
胃酸反流、
与之相关的疾病

**波立维
（氯吡格雷）**
"血液稀释剂"
治疗中风、
心脏病发作等

思瑞康（喹硫平）
精神疾病，如精神分裂症、双相情感障碍、
重性抑郁、与之相关的疾病

顺尔宁（孟鲁斯特）
哮喘、过敏，
及与之相关的疾病

安律凡（阿立哌唑）
精神疾病，如精神分裂症、双相情感障碍、
重性抑郁、与之相关的疾病

**舒利迭
（沙美特罗和氟替卡松）**
哮喘、慢性阻塞性肺疾病、
与之相关的疾病

1921
胰岛素
第一种激素治疗方法，用于治
疗糖尿病并大获成功

1927
青霉素
第一种主要的抗生素，被
大批量生产，直至第二
次世界大战结束

1951
抗精神病药物，如氯丙
嗪、氟哌啶醇，有助于
控制精神分裂症和其他
精神疾病

1962
呋塞米
用于治疗心脏疾病、心力衰竭、
高血压（取代了地高辛）

与癌症抗争

有 200 多种癌症会对人体各个部位产生影响。它们的构成基础是发生变化或突变的细胞。它们并不遵循同类细胞那种的通常预先设定好的生命周期，而是开始了不受控制的增殖。它们会形成恶性或致癌的肿块，通过扩散到达身体其他部位并在那儿生长，这个过程叫转移。最近几十年来，不同癌症的预期寿命在增加——有些非常明显。

全球情况

近年来，被确诊罹患癌症的每年有 1400 万人，即每分钟 27 人。死于癌症的每年则有 800 万人，即每分钟 16 人。

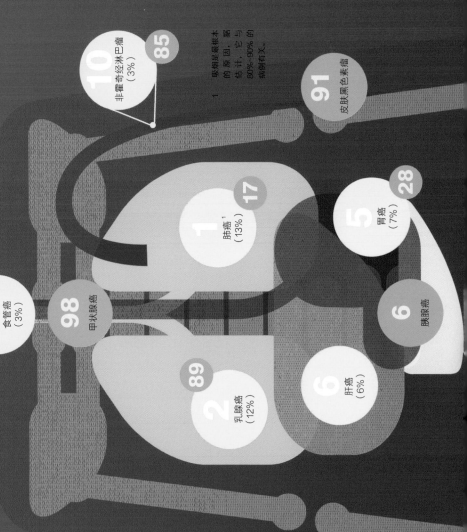

10
全球最常见的癌症

10 非霍奇淋巴瘤（3%）　**85**

91 皮肤黑色素瘤

1 吸烟是最根本的原因，据估计，它与 80%-90% 的病例有关。

1 肺癌[1]（13%）　**17**

5 胃癌（7%）　**28**

6 胰腺癌

8 食管癌（3%）

98 甲状腺癌

2 乳腺癌（12%）　**89**

6 肝癌（6%）

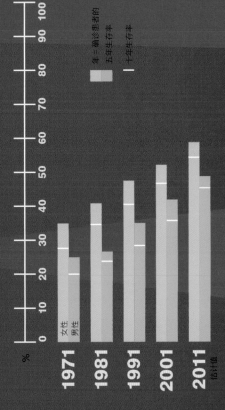

生存率（%）

特定癌症的生存率

特定癌症的五年生存率显示的是现在仍
存活的患者比例，美国

83 子宫癌

7 宫颈癌、子宫癌（4%）

68 宫颈癌

9 膀胱癌（3%）

99 前列腺癌（8%）

4 前列腺癌（8%）

95 睾丸癌

3 结肠癌、直肠癌（10%）

65

癌症患者的生存率

对于除非黑素性皮肤癌之外的各种癌症而言，英国

年 = 确诊患者的
五年生存率
十年生存率

女性
男性

%

1971
1981
1991
2001
2011 估计值

各国的癌症病例数目

年龄标准化诊断率，指的是根据标准年龄结构来调整，而不是根据这个
国家的年龄分布曲线来调整，这样能得到更加合理的对比结果。该比率
按照每年每10万人计算：

338 丹麦

325 法国

321 比利时

318 美国

307 爱尔兰

284 德国

273 英国

256 芬兰

234 保加利亚

217 日本

备用的身体零件

假体是人造或合成的身体零件，人们希望它们看起来像真的一样，又能像真的那样很理想地发挥作用。有些是可穿戴的，比如假肢和义齿。其他的则是通过手术嵌入或植入体内，例如起搏器。移植物是真正的、活的身体零件，通常由他人捐赠。医疗的进步和对移植物的需求量已经超过了移植物的供给量——在多数地区，对多数器官而言，总有等待者名单。

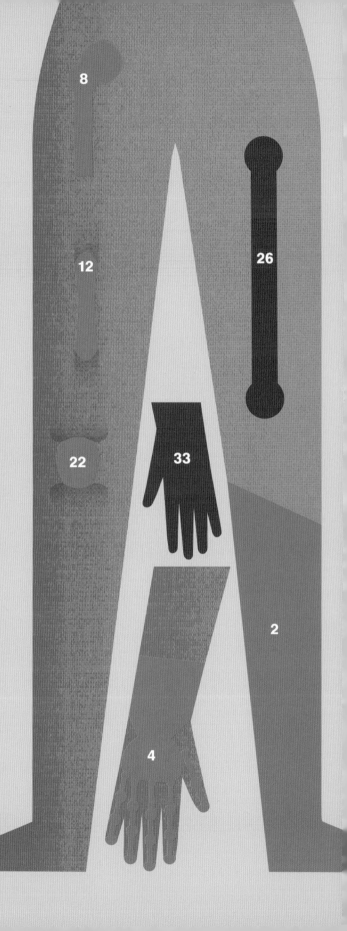

1 公元前 1000 年 人造脚趾（埃及木乃伊）

2 公元前 300 年 假肢（现存最古老的假体）

3 公元前 700 年 义齿（前罗马时代）

4 16 世纪 假手（机械连接的肢体，活动的关节）

5 1790 年 假牙（固定的一副）

6 1901 年 血液（同型输血）

7 1905 年 眼角膜移植

8 1940 年 人工髋关节（在 20 世纪 60 年代被极大改进）

9 1943 年 肾透析仪（固定式）

10 20 世纪 50 年代 人工肩关节（标准设计）

11 1952 年 心脏机械瓣膜（球－保持架式 / 球－瓣式设计）

12 1953 年 人造血管（合成材料）

13 1954 年 肾脏移植

14 1955 年 心脏瓣膜移植

15 1958 年 植入性心脏起搏器

16 20 世纪 60 年代 仿生肢体（通过肢体残端的信号进行控制）

17 1962 年 人工乳房植入物（硅胶）

18 1963 年 肺移植

19 1967 年 心脏移植

20 1966 年 胰腺移植

21 1967 年 肝移植

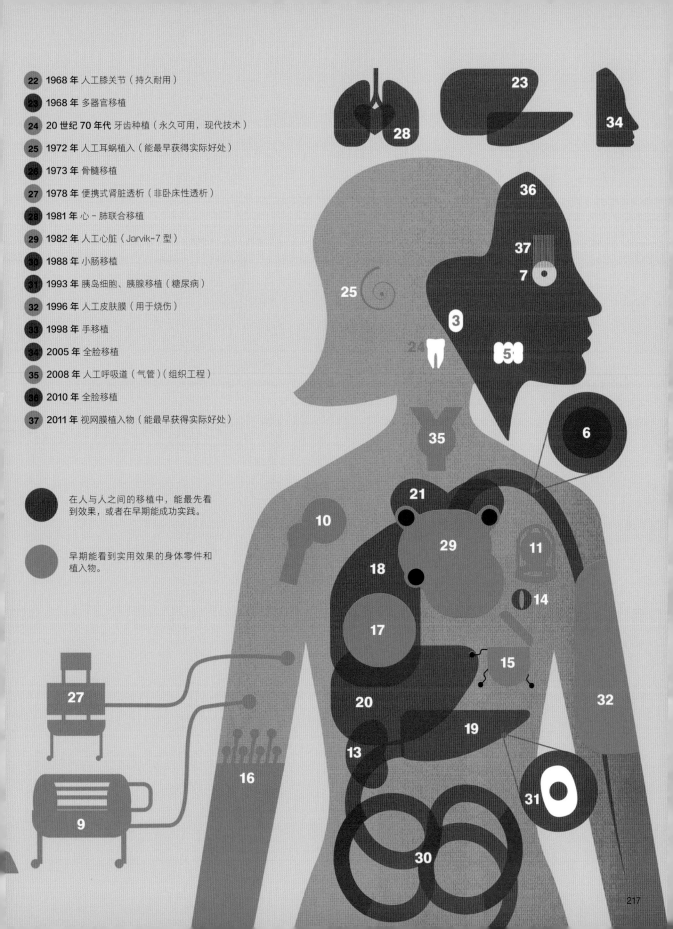

22 1968 年 人工膝关节（持久耐用）

23 1968 年 多器官移植

24 20 世纪 70 年代 牙齿种植（永久可用，现代技术）

25 1972 年 人工耳蜗植入（能最早获得实际好处）

26 1973 年 骨髓移植

27 1978 年 便携式肾脏透析（非卧床性透析）

28 1981 年 心－肺联合移植

29 1982 年 人工心脏（Jarvik-7 型）

30 1988 年 小肠移植

31 1993 年 胰岛细胞、胰腺移植（糖尿病）

32 1996 年 人工皮肤膜（用于烧伤）

33 1998 年 手移植

34 2005 年 全脸移植

35 2008 年 人工呼吸道（气管）（组织工程）

36 2010 年 全脸移植

37 2011 年 视网膜植入物（能最早获得实际好处）

在人与人之间的移植中，能最先看到效果，或者在早期能成功实践。

早期能看到实用效果的身体零件和植入物。

婴儿和药物

经过一年的"备孕期"，十对夫妇中有八对（对女性而言，年龄上限通常为 45 岁）会怀上宝宝。剩下的两对夫妇可能会开始考虑其他的建议措施，再经过一年或两年，也许会考虑医疗帮助和辅助生育或 ART 即辅助生殖技术。当然，对于其他人来说，相反的结果正是他们所想要的：采取多种避孕或节育方式。

辅助生育

成功率很难确定，因为有些治疗方式是用到了"银行"的精子和卵子，它们是为了将来使用的，并且还有很多因素参与其中，例如年龄、荷尔蒙的健康和操作者的水平。平均而言，30%~50% 的尝试辅助生育的妇女在之后的三年内会怀上宝宝。

生育药物

刺激或调节激素周期和排卵，即成熟卵子从卵巢排出。男性的等效药物包含睾丸素。

配子输卵管内移植（GIFT）

早期阶段与 IVF（试管受精）相似。把健康的成熟卵子和精子植入输卵管。

人工授精 / 供者人工授精 / 宫内人工授精，AI/DI/IUI

把来自伴侣或捐赠者的精子经过处理，以获得更高的生育率，在排卵期时置入宫颈或子宫。

合子输卵管内移植（ZIFT）

早期阶段与 IVF（试管受精）相似。将受精卵 / 早期胚胎（合子）植入输卵管。

手术

如：治疗女性的输卵管狭窄或堵塞、子宫肌瘤和其他子宫的疾病，治疗男性的睾丸或输精管的疾病。

代孕

要怀上宝宝可以有很多方法，如 AI、IVF，使用女方或捐赠者的卵子、男方或捐赠者的精子，另外一名女性，即代孕者，负责妊娠。

避孕

以下是对世界范围内，日常生活中各种避孕方法的效果估计，而非对它们的理论效果或正确使用时的效果估计。数字显示的是一年之内每 100 名采取该种避孕方法后怀孕的人数。

1 女性激素皮下植入法

（少于）

70–80 不采取避孕措施

2–10 男用避孕套

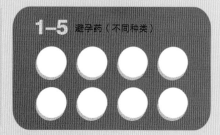

1–5 避孕药（不同种类）

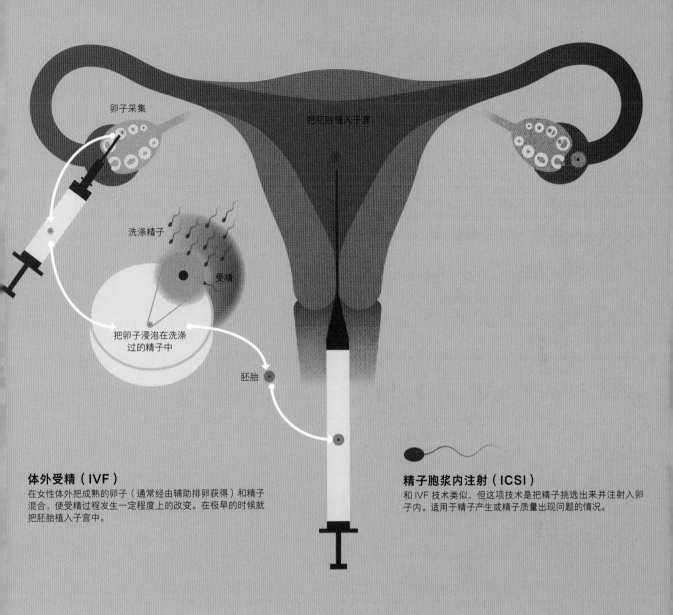

卵子采集

把胚胎植入子宫

洗涤精子

受精

把卵子浸泡在洗涤
过的精子中

胚胎

体外受精（IVF）

在女性体外把成熟的卵子（通常经由辅助排卵获得）和精子
混合，使受精过程发生一定程度上的改变。在极早的时候就
把胚胎植入子宫中。

精子胞浆内注射（ICSI）

和 IVF 技术类似，但这项技术是把精子挑选出来并注射入卵
子内。适用于精子产生或精子质量出现问题的情况。

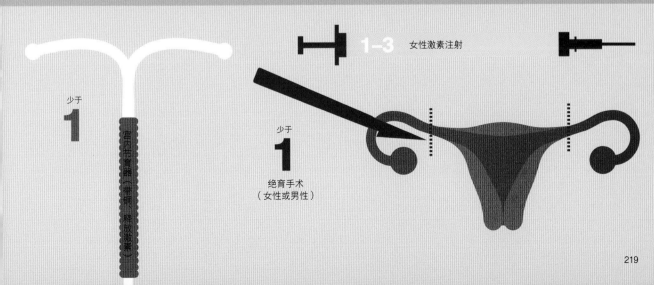

1-3　女性激素注射

少于

1

宫内节育器（带铜、释放激素）

少于

1

绝育手术
（女性或男性）

怎么样变得健康而幸福？

在过去的几十年间，人们对健康、快乐和幸福的评价有了巨大进展。

在一定程度上，这是政府、卫生保健和社会及医疗工作者，还有许多在一起评定确认这种抽象概念的人的成果。应该包括哪些因素呢？哪些因素是最重要的呢？这些问题是怎么问的呢？有一致的意见，就意味着能制定可长时间追踪的指标和测量指标，并能在不同的地区和国家之间进行比较。

后
5

5
幸福评分

7.43

7.56

7.12

7.19

5.82

6.98

影响健康和幸福的因素

收入和财富

工作、收入、职业前景

房子、生活条件

周围环境和大环境的质量

健康状况

工作－生活的平衡

教育经历和满足感

掌握的技能

社交生活、社会联系、家庭和朋友

公民活动和政府当局事务的参与度

个人安全感

主观的良好感觉

最快乐的几十年

调查发现，在不同的地区，体会到幸福感的年龄段不同

澳大利亚	11–20	70–79		美国	60–70	21–30	70–80
法国	60–70	21–30		英国	50–60	60–70	21–30
俄罗斯	21–30	61–70					

7.59

7.52

7.52

6.87

6.57

6.75

5.01

6.33

3.01

5.99

5.14

3.99

6.90

4.51

3.34

4.25

3.46

2.91

5.48

7.29

2.84

最幸福的国家

《2015 全球幸福报告》（由联合国发布）

使用的指标如：

健康
例如：预期寿命

经济
例如：人均 GDP

社会支持
例如：危难时刻的朋友

腐败
例如：拿回扣

慷慨
例如：一种仁慈的举止

人生抉择的能力
例如：自己选择的伴侣而不是指定的伴侣、
什么时候要孩子、什么时候退休

术语汇编　GLOSSARY

ABSI（身体形态指数） 是 BMI 的发展，包含腰围，把体脂分布考虑在内；ABSI 的计算公式：腰围（米）/（BMI2/3 * √身高 [米]）。

氨基酸 蛋白质的构成单位。

BMI（身体质量指数） 与体重、身高相关的公式，可能与健康影响有关。该公式是身高（米）的平方除体重（千克）（体重 ÷ 身高^2）。

胞内 位于细胞内部。

胞外 在细胞的外部。

本体感觉 知道或意识到身体部位的所在位置、姿势和动作。

边缘系统 负责感觉、情绪和情感的人体系统。

布罗卡氏区 脑中涉及语言尤其是说话的部分。

DNA 脱氧核糖核酸，是人体的遗传物质，支配着遗传。

大脑 脑中最大的部分，由两个大脑半球组成，负责思考、运动、感觉和交流。

代谢 描述人体每个细胞中发生的化学反应、变化和过程（它们中有许多是相互联系和相互依存的）的术语。

顶叶 协调感觉信息的脑叶。

动脉 将来自心脏的血液带走的血管。

ECG（心电图） 测量心脏的电脉冲。

EEG（脑电图） 测量脑的电活动。

额叶 是脑的一部分，涉及情绪功能、重要的认知功能如解决问题、短期记忆以及把记忆片段组合成为意识。

恶性的 细胞发生了改变，有生长不受控制并迅速蔓延的倾向，可能会导致死亡。

肺泡 肺内的微小气囊，可以形成巨大的表面，用于进行气体交换。

附肢骨骼 构成上肢骨和下肢骨的骨骼部分。

副交感自主神经系统（PANS） 是自主神经系统的一部分，它的作用是通过如减慢心率和呼吸频率的方式来节约身体能量。

海马体 是脑的一部分，参与记忆的巩固和空间记忆。

合子 受精后新个体的第一个细胞。

核小体 DNA 包装的基本单位；是 DNA 项链上的一颗"珍珠"。

黄体 卵巢中排卵后所形成的分泌激素的细胞团。

基底节区 脑中参与控制随意运动的结构。

基因 是 DNA 的短片段，携带单一遗传特性的遗传指令。人类的 DNA 包含成千上万个基因，控制着人体和它各个

部分的发育、工作、维护和自我修复。

激素 由内分泌系统产生的控制身体的化学物质。

甲状腺 位于颈部，调节新陈代谢和人体活动过程的速度。

假体 人工或合成的身体零件。

减数分裂 细胞分裂的一种，生成卵子和精子。由此产生的细胞中的染色体数目减半。

碱基对 是一对互补的碱基，连接在两股双螺旋上从而形成阶梯状 DNA 的阶梯。

交感自主神经系统（SANS） 身体做好准备去进行激烈的体力活动——战 - 逃反应，如心率和呼吸频率增快，使得身体可以更高效地反应。

胶原蛋白 在结缔组织中发现的结构蛋白，具有韧性和缓冲作用。

角蛋白 在毛发和指甲中发现的纤维蛋白类型。

静脉 携带流向心脏的血液的血管。

淋巴系统 是排出一般体液、收集废物以及修复和保护身体的系统。

卵泡 卵巢中的细胞群。分泌激素，影响月经周期。通常来说，在一个月经周期中，一个卵泡产生一颗卵子（卵细胞）。

毛细血管 人体最细小的血管。

酶 是生物催化剂，能产生一种特定的反应，但是最后自身不会变化。

脑垂体 是内分泌系统的主导腺体，位于脑的下方。

脑脊液（CSF） 是液体，脑漂浮在其中，可以提供物理保护、清除废物、调节血压并提供一些营养物质。

脑膜 脑周的三个保护层。

脑桥 是位于脑的上、下部分之间的纽带。此处控制基本的生理过程，如吞咽和排尿、睡眠和做梦。

内分泌系统 由生成并分泌激素的腺体组成，调节细胞或器官的活动。调节生长、代谢、性发育和许多其他过程。

胚胎 人发育的第一个阶段，从受孕开始到第 8 周成为胎儿时为止。

配子 性细胞，含有的染色体数目是普通细胞的一半。雄配子是精子，雌配子是卵子。

皮质 脑的"灰色物质"部分，是意识和绝大多数有意识的思维过程的场所。它是大脑的外层。

胼胝体 脑中左、右大脑半球之间的"桥梁"。

前庭系统 与平衡有关的内耳结构的总称。

青春期　性器官和身体逐渐成熟的发育阶段。

穹窿　是脑的一部分，有助于记忆的情感方面。

丘脑　脑中双蛋形的团块，是脑皮质和意识的"门卫"。

屈肌　弯曲关节的肌肉群。

躯体感觉皮层　脑中的触觉中枢。

染色体　携带人体一整套遗传指令的 DNA 分子。人类有 23 对染色体。

绒毛　位于细胞内部、上面和周围的线状绒毛，可增加表面积而不增加体积。

蠕动　沿着消化道的非随意肌肉波动，有助于食物向前移动。

伸肌　伸直或伸展关节的肌肉群。

神经递质　是神经细胞释放的化学物质，通过突触来传递神经冲动。

神经胶质细胞　特化的"胶水"细胞，支撑着神经细胞并把它们固定在原来位置。

神经节细胞　通过视神经把来自视网膜的信息传递到脑的神经元。

神经元　即神经细胞，是神经系统的基本细胞。

生物节律　人体各项功能正常运行的循环周期，如睡眠 – 觉醒模式以及体温的波动。

树突　是神经细胞的延伸部分，来自其他细胞的脉冲在突触的位置沿着它传递给这个细胞。

松果体　脑中发现的能产生产生褪黑素的腺体，调节睡眠 – 觉醒模式。

髓鞘　神经轴突的脂性保护层，加快了神经脉冲沿着轴突行进的速度。

胎儿　发育中的人的第二个阶段，从怀孕后第 8 周到出生前。

体被系统　与皮肤、毛发、指甲和汗腺有关的人体系统，用于保护、调控温度和清除废物。

透明带　卵子外面的厚膜，可防止多个精子穿透进入。

突触　神经细胞之间的连接点，是一个小小的间隙。

韦尼克区　脑中与语言相关的部分，特别是对说话和书面语的理解。

细胞呼吸　细胞中能产生能量的化学过程，会生成二氧化碳。

细胞器　细胞中特化的结构，如细胞核和线粒体。

下丘脑　脑的一部分，参与情绪的身体表达。

线粒体　细胞质中的结构，此处是能量产生的部位。

小动脉　动脉的小分支，可以进一步分支形成毛细血管。

小静脉　静脉的小分支，收集来自毛细血管的血液。

小脑　位于脑的下后方，与肌肉的协调相关。

杏仁核　脑中与处理记忆、巩固记忆以及情感相关的部分。

胸腺　颈部和胸部的一种特殊的淋巴腺，产生特化的白血细胞以对抗疾病。

嗅觉　与味道相关。它在脑中的控制中心是嗅球。

血红蛋白　红细胞中红色的化学物质，携带氧气运送到全身各处。

延髓　是低位脑的一部分，参与许多自动的（自主的或不随意的）过程、行为和反应，包括心率、呼吸频率、血压和消化活动。

有丝分裂　是无性细胞分裂的过程，结果是产生两个相同的细胞。

羽状角　指肌纤维的角度，它会影响肌肉发力的大小、肌肉和骨骼协同作用的方式。

中脑　脑的一部分，与人体的自动维护有关。

中轴骨　由颅骨、面部骨骼、椎骨和胸骨组成的骨骼部分。

周围神经系统　指的是身体中除了脑和脊髓以外的其他所有的神经。

轴突　神经细胞或神经元中像线条的部分，将神经冲动传递给下一个神经元的树突。

昼夜节律　意思是"大概一整天"，指身体日常节奏所遵循的 24 小时活动周期。

转移　癌症从身体的一个部位播散到另一个部位。

自身免疫　机体对自身的健康细胞和组织所产生的免疫应答。

自主神经系统（ANS）　身体神经系统的一部分，可以自动控制体内的运作，比如消化、心跳和呼吸。它由交感神经系统和副交感神经系统组成。

人体信息图：
身体小宇宙漫游指南

[英]史蒂夫·帕克 安德鲁·贝克 著
沐馨 译

Body: A Graphic Guide to Us

by Steve Parker, Andrew Baker

Text copyright©2016 Steve Parker
Illustrations by Andrew Baker

图书在版编目（CIP）数据

人体信息图：身体小宇宙漫游指南 /（英）史蒂夫·帕克，（英）安德鲁·贝克著；沐馨译 . -- 北京：北京联合出版公司 , 2017.4
ISBN 978-7-5502-9646-6

Ⅰ . ①人… Ⅱ . ①史… ②安… ③沐… Ⅲ . ①人体—普及读物 Ⅳ . ① R32-49

中国版本图书馆 CIP 数据核字 (2017) 第 016861 号

Art Direction and layout by
JenniferRoseDesign.co.uk
Simplified Chinese edition©2017 by United
Sky (Beijing) New Media Co., Ltd.
All rights reserved.

北京市版权局著作权合同登记 图字：01-2017-0207

出 品 人	唐学雷
策　　划	联合天际
责任编辑	崔保华　刘　凯
特约编辑	李鹏程
美术编辑	汐　和
封面设计	满满特丸设计事务所

未读
UnRead
—
探索家

出　　版	北京联合出版公司
	北京市西城区德外大街 83 号楼 9 层　100088
发　　行	北京联合天畅发行公司
印　　刷	北京利丰雅高长城印刷有限公司
经　　销	新华书店
字　　数	100 千字
开　　本	787 毫米 × 1092 毫米 1/16　14 印张
版　　次	2017 年 4 月第 1 版　2017 年 4 月第 1 次印刷
I S B N	978-7-5502-9646-6
定　　价	128.00 元

关注未读好书

未读CLUB
会员服务平台